UNKO

# 愚か者！

## っち系の懲りない面々

飯山陽

WAC

# はじめに

はじめまして。

飯山陽と申します。

「陽」と書いて「あかり」と読みます。「いかりちゃんねる」というのは、私が２０２２年11月に開設したＹｏｕＴｕｂｅチャンネルの名前ですが、この「いかり」というのは「あかり」に由来しておりまして、「あかり」が世の不条理や偽善、欺瞞に怒って、「いかり」に化身したという、そういう次第でございます。

私は中東やイスラム教の研究をしておりまして、大学の時代から数えますと、かれこれ30年近くこの研究を続けて参りました。文系研究者の仕事というのは大学で講義をするか、論文や本を書くか、あるいは新聞や雑誌といったメディアに寄稿するか、そのあたりがせいぜいのところでして、まあ、ごく地味なものでございます。私も長らくそんな仕事をしてきたわけですが、少なからぬ人々のご要望がありまして、この度「いかりちゃんねる」

の開設に至りました。

研究者たるもの、その本分は研究であり、その成果は文字媒体で出すべきである、と頑固を通そうとも思ったのですが、世の趨勢と言うのでしょうか、文字は読まないがＹｏｕＴｕｂｅは観るという人が増えてきているようです。私の書いた本やコラムは読まなくても、ＹｏｕＴｕｂｅなら観てやってもいいという人に、中東やイスラム教、あるいは私が「あっち系」と呼んでいる「リベラル」なメディアや「専門家」のおかしな言動の本質などについて、楽しみつつ知ってもらえるなら、それはそれでいいかもな、と考えを改めました。

とは申しましても、何しろ私はものぐさな人間でございまして、動画の構成を組み立てたり、原稿を書いたり、動画を撮るために取材に行ったり、撮影したり、それを編集したりするのは、能力的にも労力的にも到底無理なものですから、ＹｏｕＴｕｂｅとはいってもライブ一点張り、時間がある時に突然、ゲリラ的にライブをするという、そのスタイルでやっております。ライブ映像はそのままアーカイブとして公開していますが、編集は一切加えておりません。

ライブ一点張りなのも編集ナシなのも、特別にカッコいいポリシーがあるわけでもなんでもなく、単に面倒なのでそうしているだけなのですが、期せずしてそれが「いかりちゃんねる」のひとつの特徴になっております。

ではライブでどんなことをやっているかというと、新聞やテレビといったメディアが報じた国内外のニュースの偏向や間違いにツッコミを入れたり、有名人や著名人、いわゆる「専門家」と呼ばれる「あっち系」の人々の主張のトンチンカンぶりを暴いたり、最新の中東情勢を分析したり、日本や世界で発生したイスラム教がらみのテロや事件について解説したり、私のツイッターに寄せられるいわゆる「クソリプ」（下らない返信）を次々と斬り捨てていったり、まあいろいろでございます。

ＹｏｕＴｕｂｅライブには、ライブ放送を観ながら視聴者がチャットに参加できるという機能がありまして、そうするとそこで視聴者さん同士が挨拶をしあったり、私の話していることに合いの手を入れたり、質問したりと、井戸端会議的な空間が生まれます。「あっち系」の人々はよく、日本では家族や会社といった中間共同体が破壊され、人間関係が希薄になり、個人のアトム（バラバラ）化が進んでいる、みんな孤独なんだ云々と言いますが、いやいやどうして、みなさん、知らない人同士でも和気あいあいと楽しくやっておりますよ。昔とは異なる、インターネット時代、令和時代のコミュニケーションやコミュニティのかたちがあってもいいと、私なんぞは思いますね。

私のライブにはそれはもう、面白い人たちがたくさん参加されるので、みなさんのチャットを読み上げて、それに答えたりしながらライブを進めるのは、大学の授業をするよりも張り合いがある……といったら大学に怒られそうですが、そうですね、私の方がみなさんから元気や活力をいただいているのかもしれません。

「いかりちゃんねる」のご視聴者の中には出版社の方もいらっしゃったようで、「いかりちゃんねる」を本にしませんか、というお話をいただきました。いやいや、アレは私が思いつきでしゃべっているだけですから……と、当初は遠慮させていただいていたのですが、原稿にしても面白い、実に面白いなどとおだてられているうちに、自分でもなんだか面白いような気がしてきて、調子に乗って書籍化してしまいました。

本になった「いかりちゃんねる」は、オリジナルのＹｏｕＴｕｂｅ動画よりも内容が凝縮され、論旨も明解になっています。本ならばちょっとした隙間にちょっとだけ読むことも、後になって気になった箇所を読み返すのも容易です。私自身、文献研究者ですから、これまでもっぱら活字に学び、活字にその成果を反映させてきましたし、活字文化を愛していて、それが消滅することはないと確信しています。

本書を読めば、「あれ、いかりちゃん、適当に話しているようでいて、実は論理的だった⁉」なんて、気づいていただけるのではないでしょうか。逆に本書をきっかけに、YouTube動画を観てみようかな、と思う方もいらっしゃるかもしれません。そうしたら次は是非、ライブ中のチャットにも参加してみてください。みなさんにお会いできるのを、楽しみにしています。

いかりちゃんは漫談家みたいだね、とよく言われます。漫談家ではなく研究者なのですが、研究者が自分の研究内容を漫談スタイルで一般の人に提供するというのは、ありそうでなかった、新しいエンタメのかたちかもしれません。

みなさんに楽しんでいただけると嬉しいです。

2023年6月5日

飯山 陽

# 愚か者！

## ～あっち系の懲りない面々～

目次

第4章　**あっち系の人々の落日**　

装幀／須川貴弘（ＷＡＣ装幀室）

# 第1章
# 日本人の知らない中東

# 子供にウソを教えるな！　スンニ派とシーア派徹底解説

## 「イスラム教に宗派などありません」

学校でイスラム教について授業をすると、必ずスンニ派とシーア派というテーマが出てきますね。世界史の教科書にも出てくるのかもしれませんが、日々のニュースでも「スンニ派とシーア派」ってよく耳にする言葉ですよね。

日本では「スンニ派」って言うでしょ。私はどうしても「スンナ派」って言っちゃうんだけど、ここではひとまず「スンニ派」と呼ぶことにしましょう。

この「シーア派とスンニ派」というのは、イスラム教徒が数多く住む中東について語る際には避けて通れない基本的な概念なわけですが、これについて、『毎日小学生新聞』オンライン版（2023年3月14日）の「ニュースのことば」というページで解説しているのを見つけました。

これは『朝日小学生新聞』と同じように毎日新聞が小学生向けに出しているもののようで、懇切丁寧にふりがなをつけて、スンニ派とシーア派について短く429文字にまとめて説明しておるわけです。ところが、超基礎知識であるにもかかわらず、これが間違いだらけなんですよ。

一言一句（いちごんいっく）間違っているとまでは言いませんが、1行ごとに間違いがある。こんなのを子供が鵜（う）呑みにしたら大変です。私がプロの目線で一つひとつ修正していきましょう。

まず1行目、「（スンニ派とシーア派は）イスラム教の二つの大きな宗派です」。

ハイ、間違ってます！

いや、これ、さすがに事実でしょ、間違ってないでしょって思うかもしれませんが、ところがね、違うんですよ。こう書くと、まるで客観的・普遍的な事実みたいですが、イスラム教徒自身は、イスラム教の中にシーア派とスンニ派の二つの派があるとは考えていません。

イスラム教徒というのは、イスラム教の下に一つの共同体でなければいけないという大前提があります。そして個々のイスラム教徒は、自分は間違いなくそのあるべき共同体の一員であると認識しているわけ。わかります？

イスラム教が二つの派閥に分かれていてはいけないという大前提があるから、イスラム教徒の人たちは、スンニ派とシーア派があるとは考えていなくて、「いやイスラムは一つです。一つの共同体しかありません。私はそこに属しております」というふうに認識しています。でも、外部から見たらイスラムはスンニ派とシーア派に分かれているように見える。確かにそうなんですよ。確かにそうなんだけど、ここで認識しておくべきは、外部の人間にはそう見えるかもしれないけれど、しかし内部の人はそう思ってはいない、そのギャップが重要なんです。

小学生のうちから「イスラム教というのはスンニ派とシーア派に分かれている」と客観的事実のように教えられて、「これは試験に出るから覚えておくんだぞ」みたいに頭に叩き込まれたまま大人になった日本人は、旅先や仕事で会ったイスラムの人に、「イスラムってスンニ派とシーア派に分かれているんでしょ、あなたはどっち？」みたいな質問をしがちですが、そんなことを言ったら大変。「こいつは何を言っているんだろう」と怪訝（けげん）な顔をされるか、ヘタすると「ふざけるな！」ってブッ飛ばされます。

イスラムの人たちは、「私はスンニ派ですが、シーア派という別の宗派の人もおります、ハイ」なんてふうには絶対思っていません。「ハイ、私はイスラム教徒でございます。シーア派？ そんな者はおりませんが？」と答えるはずです。シーア派の人なら逆のことを言います。わかります？

いまグローバル化とか言って、世界の多様な価値観を学ばなければいけないと盛んに言われますが、学ばなきゃいけないのはまさにこういうことだと思うわけ。これは一つの事象を考える際に外部の人が見るのと内部の人が見るのは違うという好例ですよ。これこそが多様性です。にもかかわらず、外部から見た一面的なものの見方を1行目から小学生に教え込むのは問題ではないでしょうか。

そして2番目の文章にはこうあります。

「7世紀にイスラム教の預言者ムハンマドが死去した後、後継者選びの考え方の違いから両派に分かれました」

ハーイ、違いますよ。

イスラムというのは、7世紀に預言者ムハンマドが神から下された啓示を伝えることで広まった宗教ですが、その預言者ムハンマドは自分の後継者を決めないまま亡くなってしまったので、残された人たちはみんなで話し合って、アブーバクルという人を次の指導者にいったんは決めました。

ところが、後々になって「預言者ムハンマドの後継者はやっぱりムハンマドの血を引いているアリーだったはずだ！」と言い始める人たちが現れました。「そうだそうだ、やっぱり血だ、血統が重要だ。アブーバクルはムハンマドの血を引いていない。跡継ぎはアリーだ」っていう人たちが徒党を組んで独自の動きを始めた。これがシーア派のもとになった人たちです。

なんとなくまとまっていたイスラム共同体から、こうしてポツリポツリと離脱していくグループが出てきました。ハワリージュ派と呼ばれる人たちもその一つでした。あとに残された人たちは団結して、自分たちのことを「アフル・アルスンナ・ワ・アルジャマーア」(ムハンマドの慣行＝スンナと、共同体＝アルジャマーアに従う者。後述)と名乗るようになりました。これが「スンニ派」です。だから預言者ムハンマド亡き後の後継者選びをめぐって分裂したというわけではありません。

小学生向けにそんなに細かく書けないよとか言う人がいるんですけど、そうじゃないんですよ。相手が子供だからこそ誤解を招くような言い方をしてはいけないんです。短い言葉で簡潔にやさしく説明するには高度な技を要するんですよ。毎日新聞のような素人が子供向けに簡単に書こうとすると、こういう愚かな説明になってしまうということなんですね。

3番目の文章はこういうふうに書かれています。

「スンニ派はムハンマドの慣行を守りますが、シーア派はムハンマドの死後、いとこのアリーとその子孫が権威のある後継者だと主張しています」

ハイ、これも間違い。皆さん気づきました？　文章の前半と後半で言っていることがとっちらかっています。前半は「スンニ派はムハンマドの慣行を守りますが」って書いているんだから、後半は「守りますがシーア派は守りません」とか、そういう風に続くはずでしょ。それなのに後継者の話をしちゃっている。だから文章がちぐはぐなんです。わかりますよね？　日本語のルールの問題です。この文章はまず日本語として間違えている。そのうえに内容も間違えているんです。

スンニ派だけじゃなくて、シーア派だってムハンマドの慣行を守るんです。その点においてはスンニ派とシーア派に違いはありません。

ムハンマドというのはイスラム教徒にとって絶対的なお手本だとされていて、起きたら何をするか、ご飯をどうやって食べるか、右足と左足、どちらの足から歩き出すべきか、水を飲む時は左右どちらの手で飲むか等々、日常の所作のありとあらゆることについて預言者ムハンマドの真似をすることが正しいというのがスンニ派の考え方のもとになっています。

一方、シーア派の場合、預言者ムハンマドのとおりにすべきだというのは同じですが、それに加えてアリーをはじめ、共同体の指導者たるべきムハンマドの血を引く歴代イマーム（指導者）の言行も同様に、正しいものとして真似ていこうとする。そこが違うわけです。権威とすべき対象がスンニ派の場合、ムハンマド一人しかいないのに対して、シーア派にはたくさんいるということです。

そこで、この毎日小学生新聞の解説に戻ると、シーア派に関しては、預言者ムハンマドの後継者は従兄弟のアリーとその子孫だって書いてある。でもね、じゃあスンニ派の後継者は？　後継者選びの考え方の違いから両派に分かれたって書いてあるのに、スンニ派の後継者には誰がなったのかについては全然書いていないんです。

スンニ派は、話し合いで指導者を決めることにしました。そしてこの指導者論というのがスンニ派とシーア派とでは決定的に違うわけです。

## 革命のためならスンニ派とだって手を組むイラン

スンニ派というのは正しくは「アフル・アルスンナ・ワ・アルジャマーア」といって、これは「スンナとジャマーアに従う人たち」という意味です。「スンナ」というのはさっき言ったような、預言者ムハンマドが言ったりしたりした慣行ということですね。で「ジャマーア」というのは共同体という意味。だから、「預言者ムハンマド亡き後は預言者ムハンマドの慣行に従って運営されているイスラム共同体に付き従う人々」ということになります。

預言者ムハンマドは万能でした。神ではなくて、人間なんだけれども、完全無欠な人間だったということになっているわけ。それで急に思い出したんですけど昔、「パーフェクトヒューマン」っていうネタを歌でやっているお笑い芸人がいましたね。I'm perfect humanみたいな歌詞があって、「パーフェクトヒューマン」は預言者しかおらんのに何を言っておるんじゃーって突っ込みたくなったんですけど、それはともかくとして、イスラム教徒にとってはパーフェクトヒューマンと言ったら預言者ムハンマドしかいないわけです。

その死後にムハンマドの完全なる人格と絶対に間違いを犯さない無謬（むびゅう）性は、基本、誰にも継承されないとスンニ派は考えたわけ。では彼の亡き後はどうするかというと、何か問題があった時は預言者ムハンマドの慣行、つまりスンナに立ち返って考えましょう、コーランに立ち戻って考えましょう、そうして指導者を決めるときはみんなで決めようということにした。これがスンニ派です。

一方のシーア派は、預言者ムハンマドの血筋が全てだと考えるわけ。預言者ムハンマドにもお父さんとお母さんがいますよね。お父さんにはいっぱい兄弟がいるわけ。その一人の息子がアリーだから、ムハンマドとアリーは従兄弟にあたる。でも、それだけじゃなくて、アリーはムハンマドの娘婿でもあるんです。

預言者ムハンマドには奥さんがいっぱいいいたんだけど、そのうちの一人から生まれた娘ファティマが、アリーと結婚して、二人の間に息子が生まれます。そのアリーの子孫にこそイスラム共同体の指導者たる権利と資格があると言うのがシーア派なんです。

それはなんでかっていうと、アリーの子孫は二重の意味で預言者ムハンマドと血縁関係にあるから。ムハンマドの娘の血を引いているから女系ということになるんだけれど、同時にアリーはムハンマドの父親の兄弟の息子だから、そこまで遡れば男系になる。

時代が下るにしたがって、当然ながらアリーの子孫はどんどん増えていきます。そうするとシーア派の場合、何が問題になるかっていうとイスラム共同体の指導者はアリー、すなわちムハンマドの血を引く誰か一人ってことだから、誰が正しい後継者なのかわからなくなる。だからシーア派は分裂しているんです。シーア派は一つじゃない。派閥がたくさんあるわけ。いちばん有名なのがイランの12イマーム派だけど、ほかにもザイド派とかイスマーイール派とか、少数派がいっぱいいるんです。その理由は、大勢いる子孫の中から誰を指導者に選ぶかでいろんな考えがあるからです。

だから、これはそうそう単純化できるような話ではなくて、毎日小学生新聞のように誤解を与えるような形に単純化して書くのは愚かであると、こういうことでございますね、ハイハイ。さらに、最後にはこういう風に書かれています。

「スンニ派は、全イスラム教徒の約9割を占めます」。そうですね、これは合っています。問題はその次です。

「サウジアラビアやイスラム過激組織『イスラム国』（ＩＳ）などは、スンニ派の国・組織です」

いくらなんでも、これはまずいでしょう。

だって、サウジアラビアっていう国とイスラム過激派テロ組織を横並びにして、あいつらは共にスンニ派のヤツらだって言っているわけだから。これ本当にまずいのよ。こういうことを書くから日本はサウジに嫌われるんです。

嫌われてもいいじゃんって思う人もいるかもしれませんが、いや嫌われたら皆さん困りますよ。だってサウジは日本にいちばん石油を売ってくれている国だから。もし「日本はサウジの悪口ばっかり言っているから、もう石油売らなーい」とか「日本だけ値上げしちゃおうかなー」とか言い出したらどうなるかわかっとるんですか。ＫＹを通り越して国際問題に発展してもおかしくないぐらいのレベルです。こんなとんでもない説明を小学生にするなんて、どうかしていますよ。

そして、「一方、イランはシーア派が多数で、サウジなどと激しく対立していました」と結ばれている。シーア派が多数なのはまあそうなんだけど、「サウジなど」というのは、この文脈からするとサウジと過激派テロ組織イスラム国のことを指すことになりますから、これではまるでイランが正義の味方で、サウジとテロ組織にいじめられているかわいそうな人たちだって印象を与えてしまう。それはちょっと違うだろうってことですよ。

サウジとイランが外交関係正常化に向けて合意したというニュースが最近報じられて、まるでスンニ派とシーア派の対立が和解したみたいなことを日本の新聞は書いています。サウジがスンニ派の代表でイランがシーア派の代表だから、この二つの国が仲良くなれば中東は安定するということらしいんですが、違・い・ま・す！

ちょっと考えてみてください。イランという国はイスラム革命を起こして現在の体制を作り、さらにその革命をアラブ諸国に広めて、イランの最高指導者の下に結集しようと訴えています。そのためにイランは各地の武装勢力に資金や武器を提供している。いわゆる

「革命の輸出」ってやつです。アラブには王政とか共和制とか、いろんな国がありますけど、それらの国を弱体化させ、乗っ取ってしまうのがイランの目的です。

そのために手を組む相手は、はっきり言ってシーア派でもスンニ派でもどちらでもいいわけ。

たとえば、パレスチナにあるハマスというイスラム過激派組織をイランは支援しています。ハマスはスンニ派です。それからイランはアルカイダも支援していますが、あれもスンニ派。つまりスンニ派対シーア派とかいった、そういう単純な構造じゃないのに、勝手に単純化してわかったような気になっているのが、日本のマスコミです。それはマスコミに中東のことをわかっている人がいないからなんですよ。

そういういろいろな問題が、この毎日小学生新聞の解説文からあらわになっています。こんなに基本的なこともわかってない人たちが記事を書いておるというのは恐ろしいことです。私は人に勉強しろとはあまり言わないタチなんですが、新聞記者は仕事として一般の人に情報を伝えて対価をもらっているわけですから、それなら少しは勉強したらどうですか。子供に嘘を教えるなよ。良い子の皆さん、大人に騙されるんじゃありませんよ。

（2023年3月15日）

# イランとサウジが「外交正常化」すれば平和になるの？

## 約束を守らないイラン

サウジとイランが外交を正常化させるっていうニュースが報じられました。講演会とかでお付き合いのある中東関係のビジネスマンの方々も、このニュースが気になるらしいんですね。

2023年3月11日の日経新聞は、「イラン・サウジ外交正常化。中国仲介、2カ月内に」という見出しで、1面トップで報じています。ビジネスマンの〝バイブル〟と言われる日経が大々的に報じると何かとんでもないことが起こったっていう気がするらしいのね。しかも、記事を読んでもわけがよくわからない。そこで私がご説明しようというわけですが、これはいろいろな方向から論じなきゃいけない問題であって、それをやっているといくら時間があっても足りないから、ポイントを6つにしぼって解説したいと思います。

1点目。日経の「イラン・サウジ外交正常化」という見出しは不正確です。サウジの国営通信のニュースにはこう書かれています。

「サウジとイランは最長2カ月の間に外交関係を正常化し、お互いの大使館を再開することで合意」と両国および仲介役の中国が発表した。

これが正確な報道でございます。「正常化」と「正常化で合意」はちがいますね。

第2点目は、この合意は、もし2カ月以内に両国の外交関係が正常化して大使館が再開されたとしても、それは２０１６年以前の両国関係に戻ることを意味するだけだということです。サウジとイランはずっと外交関係を断絶していたわけじゃなくて、２０１６年に断交したんです。だけど、外交関係があった時代からすでにサウジとイランは仲が悪かった。だから、外交関係を正常化すると言っても、それは両国が完全に信頼しあうことを意味するものではありません。

第3点目。日経は「中東の緊張緩和につながることが期待される」と書いていますが、残念なお知らせがあります。サウジとイランが今後2カ月以内に外交関係を正常化したとしても、中東の緊張はさほど変わりません。

中東の緊張レベルがマックスで１００だとすると、いまはどれくらいかなあ、まあ75くらいとすると、サウジとイランの外交正常化が実現するとしても、私の感覚で言うと、緩和してもせいぜい60から65ぐらいかな。10ポイントくらいは減るかもしれないけれど、それは中東の緊張度が限りなくゼロに近くなるとかいうことではありません。

それから、日経の記事にはこういうことも書いてあります。

「両国の（これはサウジとイランね）対立はイエメンやシリアなどの内戦に影を落とし、イラク復興の足かせともなってきた。２０１９年にはイランによるとされるサウジ国営石油会社サウジアラムコの石油施設への攻撃もあり、世界のエネルギー市場を揺さぶった」「イスラム教スンニ派が主流のサウジとシーア派大国のイランは中東の覇権をめぐり対立を続けてきた」

中東の事情をよくわかっていない人がこの記事を読むと、なんだかいつも戦争ばかりしている中東の諸悪の根源はイラン対サウジにあって、サウジとイランさえ関係を正常化すれば中東問題はすべて解決するんじゃないかという誤った印象を抱きかねません。だけど、中東っていうのはいろんな問題が複雑に絡み合っていて、その中にはサウジとイランの対立に起因する問題もあるけど、全然関係ない問題だっていくらでもあるわけね。

だから、モノを知らない新聞記者がこういう記事を書いたら、中東の専門家が、これで問題が解決するなんてことはないんですよって、ちゃんと解説してあげなきゃいけないのに、そういう専門家が日本にはいないんです。中東の専門家と称する人はたくさんいますよ。だけどみんなイデオロギー的に「左向けー左！」「反米！」で凝り固まっているから役に立たない。

そしてさらにですね、「イスラム教スンニ派のサウジとシーア派のイランが中東の覇権を巡り対立」とかって書いているけど、中東の覇権を狙って他国に軍隊を送り込んで侵攻したり、内政干渉したりしているのはイランだけです。しかもイランがちょっかいを出しているのはサウジに対してだけではありません。イエメンにもＵＡＥにもやっている。バーレーンにもイラクにも、シリア、レバノン、パレスチナにも、当然イスラエルにも、中東のありとあらゆるところにいる武装勢力・テロ組織に武器やら資金やらを送って、もうめちゃくちゃなことをやっておるわけですよ。

それらすべてを解決しない限り、パレスチナ問題という意味の中東和平じゃなくて、中東全体の安定というのは実現されません。サウジとイランが話し合いしたくらいでは到底、問題解決には至らない。イランの体制が変わらない限り無理です。

なぜなら今のイランが目指しているのは、まず、すべての中東諸国を弱体化させ、イスラエルという国を文字どおり地図上から抹殺して、中東全域を支配すること。それから世界に自国の影響力を拡大してアメリカを滅ぼし世界全体をイランが支配すること。これが今のイランの国是です。もう国の目標として決まっていることなんですよ。

そして4番目はね、これ、すごい重要です。サウジとイランの関係正常化の大前提は、イランが約束を守るという、ごく当たり前のことなんですよ。だってそうでしょ。イランとの関係を正常化するための条件としてサウジが出しているのは、当然ながらサウジへの攻撃をやめることです。

実は、イエメンを基盤とするフーシという武装組織があるんですけど、フーシはイランから大量の武器と資金提供を受け、イランと連携してイエメンからサウジを攻撃しているわけ。今回の合意で、イランはこれをやめさせると約束しているんですが、その約束をイランが守るかどうかはわからない。

約束を守らない国なんですよ、イランって。これまで一度も守ったことがないんじゃないかっていうぐらい。それも、スパッと約束を反故にするみたいな、気持ちいい破り方じゃなくて、ネチネチしているの。「オレたち約束を破ってないもん。あいつらが勝手にやったんだもん」っていうふうに言うわけ。だから今回も、どうせサウジへの攻撃はやめないし、フーシに武器も与えるんですよ。それで約束が違うじゃないかって非難すると、「いや、ウチは関係ありません。あれはフーシが勝手にやったことなんです」って言うに決まっているんです。それに、いざとなれば、イランには「あれは革命防衛隊が勝手にやったことだ」という必殺言い逃れ技があります。

イランには最高指導者がいて、その人がすべての権力を牛耳っています。現在はハメネイという人が務めているイランの最高指導者は、国際的な会合に出たり、日々の行政に追われたりはしません。そういう雑務は別の人間にやらせておる。その雑務の一つ、政治を担当しているのがイラン政府です。だからイラン政府は最高指導者の指揮下にあるんです。今回の「イラン・サウジ外交正常化」というのは、イラン政府がサウジの政府と話し合って合意したものですが、イラン政府の上位には最高指導者が直轄する「革命防衛隊」というものが存在します。

これはイランのGDPの2割ぐらいを占める、とんでもなくバカでかいイランの軍産複合体で、イランの正規軍とは別組織なんですね。基本的にイランの領土拡張政策を担っているのはこちらなわけ。だから、サウジがイランから何らかの攻撃を受けるようなことがあったとしても、イランの政府は「あれは革命防衛隊がやったことだからしょうがないんです。だって、革命防衛隊はウチらのコントロールできないところにあるものですから」と言い逃れできるわけですよ。

だからサウジにしても他の中東諸国にしても、イランがこの必殺言い訳技を持っていることは先刻承知なわけ。当たり前ですよね、これまでもさんざんやられてきているんだから。だからサウジがイランと外交関係正常化で合意したといっても、サウジは「イランはどうせあの必殺技を使うつもりだな」ということを念頭に置きながら、でも国同士としてはつき合いのレベルが最低限キープできるだけの状況に戻れたらいいよね、ぐらいに思っている。当事者は当然わかっていることなんですよ。

## アメリカ、終わってない！

次の5番目はね、これも大事なんですが、日経はこう書いているわけ。

「中国主導による中東の大国の和解実現は、米国の指導力低下を印象づけ、長期的には世界秩序を揺さぶるリスクとなりかねない」

つまり日経によると、もう「米国オワタ」、「俺たちの中国キター！」というわけ。ですが、それは違います。サウジとイランの国交正常化が中国によって仲介されたことは事実ですが、サウジにとって外交的・軍事的にいちばん大事な相手がアメリカであることは変わりません。これ、私がいつも言っていることですけど、中東の親米国家はアメリカの軍事支援がないと自分たちの国を守れない。それはもう既成事実としてあるんですね。それはサウジだけじゃなくてUAEもそうだし、もちろんイスラエルもエジプトも同じです。

だからアメリカがもしも怒って「イランとそんなに仲良くするの？　じゃあボクたちもうサウジ君のこと守ってあげるのやーめた」とか言ってですね、アメリカの武器や装備、技術者、情報機関、そういったものを全部引き上げちゃったらサウジは丸腰になって、その瞬間、四方八方の国から「しめた！」とばかり集中砲火を浴びます。国内にもイスラム過激派の人たちがいっぱいいるから、その争いも激化して、サウジはいっぺんに潰れてしまう。

だから、サウジを始めとする中東の親米国家にとっては、中国との経済的関係がいかに強くなろうと、中国が外交成果を誇って外交大国であるかのように見せかけようと、自国の安全保障をアメリカに依存している事実は変わらないわけです。そのことを日経は1ミクロンも書かない。だから、「あぁそうか、中東は完全に中国の支配下に入ったんだ」と勘違いする人がたくさんいる。でも、それは嘘なわけ。

しかも日経は「長期的には世界秩序を揺さぶるリスクとなりかねない」とか言っているけれど、おかしいでしょ。だって今までガンガン戦争していたサウジとイランが、もし戦うのはガチでやめましょうということになったら、サウジとイランはそれぞれイエメン内戦に介入して戦っているわけだから、イエメン内戦が終結に向かう可能性があるわけですよ。これ、いいことでしょ? 中東にとってもいいことだし、世界にとってもめでたいことじゃないですか。それをなんで日経は「世界秩序を揺さぶるリスク」だとか、まるで戦争が終わるのが悲しいみたいな言い方をするの? 何もわからないくせに「世界秩序」だとか言って、こういう不安を煽るだけの記事を書くのは本当にやめたほうがいい。

そして最後の6番目。これはビジネスマンの人たちがいちばん気になっているみたいなんですが、イランの核合意に対するアメリカの制裁はどうなるのかという問題。これ、「イラン・サウジ外交正常化」とは何の関係もありません。

核合意というのは、イランが核兵器を保有しないようにするにはどうすればいいかという考えの枠組みなわけです。イランはいま、核兵器保有に向けて邁進していて、それは確実に一歩一歩進んでいる。そしてサウジはかねてから、「もしイランが核兵器持つようなことがあったらウチも持ちます」と宣言しているんですね。

それで、サウジはアメリカと取引しようとしているわけ。実はアメリカはサウジにしてもらいたいことがいくつかあって、それは石油の増産とかもあるけれど、それだけじゃなくてもう一つ、イスラエルと国交正常化することなんです。

サウジはイスラエルと国交正常化するには条件が二つあると言っています。一つ目は安全保障をきちんとすること。アメリカは今ちょっと問題がいろいろあって、サウジに対して武器の禁輸とかをやっているわけですね。だからそういうことはやめてアメリカが安全保障をしっかりすること。もう一つは民生用ということでサウジの核開発を支援することです。

これを取引材料にしているのはどういうことかというと、サウジはイランとの外交関係の正常化を一方で模索しつつ、もう一方では、自分たちも核開発を計画しているわけです。つまり、サウジはイランのことなんかハナから信用していなくて、外交を正常化しようがしまいが、イランはどうせ核兵器を持つつもりだろうと思っているってことですよ。

わかります？　中東ってどういう世界かというと、表向きに見せている顔と内向きに見せている顔が違うだけでなく、そもそも表向きの顔もたくさんある世界。あっちこっち向いている顔のどれが本当の顔とかじゃなくて、それが全部本当なわけ。日本のメディアは、これで中東は平和になったとか、中東ではもうアメリカの影響力はなくなったとか、これからの中東を主導するのは中国だとか、そういうふうに印象づけようとするけれど、そんな単純な話じゃないということです。

これ、いま気づいたんだけど、この日経の記事、ほかにもおかしなこと書いてありますね。「中国主導による中東の大国の和解実現は（だからまだ実現してないでしょって）米国の指導力低下を浮き彫りにし、地政学の変化を象徴する」

ちょっと待って。「アメリカの指導力低下」って、えっ、これまで中東諸国を指導していたのはアメリカなんですか？　「指導」ってことはアメリカが上にいて、その下にサウジとかイスラエルとかUAEとかイランとかシリアとかいろんな国がいて、それをアメリカが指導していたの？　そんな話、聞いたことないですよ。意味わかんないし。

それに「地政学の変化を象徴する」って、これもちょっと意味わかんない。何か外交的な事象があったとして、それが何で地政学の変化を象徴するの？　地政学的変化ならわかるけど、地政学の変化って、学問が変化したことになっちゃうでしょ。これ日本語レベルでおかしくないですか。それが1面トップにドーンと乗っちゃうのは、朝日新聞と同じで、内部チェックとか校閲のシステムとかがおかしいってことなんです。日経はビジネスマンのバイブルだっていうのは、ちょっと怪しい感じですね。

ですから、この記事も、うまくいくかどうかはわからないけど、もし外交正常化がうまくいったとしたら、中東に広がっている戦乱がいくらかは減るかもしれないというぐらいの世界の話であって、大枠では中東は何も変わりません、というのが私の解説でございました。中東の状況がいくらかはおわかりいただけましたでしょうか。

（2023年3月13日）

# 日章丸・おしん「イランは親日国」なんて幻想です！

## 現在のイランは70年前とは別の国

今日は「出た！　日章丸」というお話をしたいと思います。

私はいろんなテーマを研究しておりますが、日章丸というのは長く手がけている案件の一つなんです。案件とか言うとなんか弁護士みたいですが、なぜその話をするかというと、例によって、ネットである記事を見つけたからなんです。

これは『フォーブスジャパン』という雑誌のWeb版の記事（2023年1月24日）で、タイトルは「日章丸事件から70年、大国に翻弄されるイランから何を学ぶべきか」となっております。私としては「出た出た、日章丸。今年で70年かぁ。今年はこういう記事がいっぱい出るんだろうなぁ」という感想を持ったのですが、「日章丸」と「大国に翻弄されるイラン」ときたら、これはもう、「イランは親日国論」に決まっています。朝日新聞をはじめとする日本のメディアは、ほぼすべてが「日章丸＝イラン親日」の図式に凝り固まっていると言っていいんです。イランが触れてほしくないようなことを書く日本人はほぼ私しかいないんじゃないかっていうぐらい、みんなイランが大好きなんですよ。私は某新聞にコラムを持っておりますが、その某紙も「イランは親日」です、ハイ。

それにしても、この『フォーブスジャパン』の記事はいかにも朝日新聞に載っていそうな文章だなと思ってね、誰が書いているのかなって見てみたら「オフィシャルコラムニスト牧野愛博」ってなっています。へーえ、オフィシャルコラムニストがおるんかいと思って名前をポチッとしたらプロフィールが出てきました。引用してみますね。

「朝日新聞外交専門記者。（おいおい、フォーブスジャパンのオフィシャルコラムニストって朝日の記者なんかい。もうギャグの世界ですね。えーと、なになに？）1965年生まれ。大阪商船三井船舶（現商船三井）を経て91年、朝日新聞入社。瀬戸通信局長、政治部員、全米民主主義基金（NED）客員研究員、ソウル支局長、編集委員（朝鮮半島、米朝・日米関係担当）などを経て、21年4月から現職」

ということはつまり、朝日新聞の記者が、朝日お得意の「イラン親日論」の朝日節を別の媒体でぶっていると、そういうことのようです。

じゃあ、なんで朝日をはじめとする日本の新聞が「イランは親日。イランは良い国」というイラン擁護論を唱えるのかというと……。

その理由として必ず出てくるのが一に日章丸、二に「おしん」。実はこの二つしかありません。

この二つを繰り返し言い続けてきたのが朝日新聞です。日章丸については後で説明するとして、「おしん」というのは、１９８０年代にＮＨＫで放送していたドラマです。私は観たことがないので時代設定も何もわからんのですが、家が貧乏でどこかに売られていったかわいそうな女の子が奉公先で頑張って商売人として成功するみたいな、何かそういうストーリーなのかな。それで日本でもすごく人気があったのだけど、イランで放送されたら爆発的に受けて、80％だか90％だかの視聴率を記録する人気だった。だからイランは親日だっていう意味のわからない理屈になっています。イランが親日だという話になると、判で押したように、この「おしん」が出てきます。

じゃあ、なんでそんなに「イランは親日」だって言いたいかっていうと、これは簡単に言えば、朝日が「反米」だからです。

ちょっとわかりづらいかもしれないけど、たとえば日米安保とか日米同盟とかいうものに朝日は反対していますよね。朝日としては、日本という国を弱体化させて最終的には消滅させるのが目的なわけだから、そのための策をいろいろと練っているわけですよ。日本オワタ、みんなどんどん海外に逃げろとか言ってみたりするのもその一つですけど、日本はアメリカと手を切って、もっと親日的な、日本に恩義を感じている国と手を組めとも言っています。はっきり言えばアメリカと手を切って反米国家イランと仲良くしようじゃないですかっていうのが、朝日の根底に流れている主張なわけ。

『フォーブスジャパン』のオフィシャルコラムニスト、実は朝日新聞記者の牧野さんは、韓国の尹錫悦（ユンソンニョル）大統領がＵＡＥ（アラブ首長国連邦）を訪問した時、「ＵＡＥの敵にして最大の脅威はイランで、我々の敵は北朝鮮だ」と語ったことにイランが抗議したというニュースを利用して「イラン親日論」を唱えるため、日本政府の元高官という人を引っ張り出して、こう語らせています。

〈韓国とイランの緊張した状況について、日本政府の元高官は「北朝鮮はともかく、アジアでイランとの間に信頼関係がある国はほとんどないでしょう」と指摘する一方、こう語る。「そのなかで、日本とイランの関係は特別なものがあります。70年前の遺産が今も生きているからです」〉

そもそも実在するかどうかも怪しいこの日本政府の元高官なる人物に、「北朝鮮はともかく」とか、北朝鮮を例外のように言わせているけれど、イランがアジアの中でいちばん信頼していて仲良くしているのはダントツで北朝鮮でしょうよ。それを「アジアでは日本だけが特別な関係にある」みたいに思わせて読者をミスリードする卑怯な手法。さすが朝日の記者です。

「日本とイランの関係というのはとにかく特別なんだ」というこの言い方、いわゆる「伝統的友好国」っていう言葉が大好きなのは朝日だけじゃありません。日本の外務省も、これがもう大好きなんですよ。日本のイラン外交というのはもっぱらこの路線に沿って行われているわけ。

そのもとになっているのが「日章丸事件」なんですが、ご存じない方のために、幸い、このオフィシャルコラムニスト実は朝日記者の牧野さんがこういうふうに説明してくれているので、引用します。

〈1953年、出光興産のタンカー「日章丸」が、当時孤立していたイランから世界で初めて石油を直輸入した「日章丸事件」だ。イランは1951年、英国系アングロ・イラニアン（後のBP）社の石油施設などの資産を国有化した。アングロ・イラニアンはイラン国外への石油積み出しを拒否し、英国政府も後押しした。ただ、米国がイランの石油国有化を黙認する姿勢を示すと、出光は53年2月、イランとの間で輸入契約を結んだ。日章丸は同年3月、日本を出港してイラン・アバダン港で石油を積み込み、同年5月、日本に戻った。途中、英国政府による拿捕を恐れながらの輸送だった〉

つまり、出光という日本の会社が日章丸という船を出して、拿捕されるリスクを冒してまでイランから石油を買った。だからイラン人は今でも日本が大好きなんだ。日本に対してイランはいまでも70年前の日章丸事件に恩義を感じているんだっていうんです。こういう浪花節みたいなストーリーが日本人は大好きです。昔受けた恩義をいつまでも忘れないとか、そういう話を聞くとグッときて思わず涙ぐんだりしますよね。だから朝日の記者である牧野さんは別の媒体にもこの美談を書いているわけです。牧野さんは日章丸事件の説明に続けて、こう書いています。

〈複数の日本政府関係者によれば、イラン政府関係者はこの70年間、ラフサンジャニ大統領のような高官から一市民に至るまで、しばしば「日章丸事件」の話を持ち出し、日本に感謝するという〉

「日本政府の元高官」が、今度は「複数の日本政府関係者」に増えていますね。「オレ、日本政府の関係者いっぱい知ってるから」って言いたいんでしょうね。それはともかく、いかにも「あなたたち、こういう話聞きたいでしょ、お聞きなさい」系の文章です。

でもね、イラン政府関係者がみんな70年前からずっと日本に感謝しているとか、そんなバカな話があるわけないんですよ。だって、70年前のイランと今のイランは全然違うんだから。１９７９年に革命が起きて、それまでの体制が覆っているんです。昔のイラン政府と革命以降の政府とはぜんぜん違うんですよ、何言ってるんですか。

革命後の今のイランの体制は反米です。その反米の国が、アメリカを唯一の同盟国としてアメリカに守ってもらっている日本に恩義を感じてるなんて、バカ言っちゃいけません、あなた、騙されてるんですよ。ところが、牧野さんは、さらにこういうふうに続けます。

〈2019年6月には安倍晋三首相（当時）がイランを訪問し、最高指導者のハメネイ師らと会談した。背景にはイランとの関係見直しを進めたトランプ米政権の思惑も働いていたが、アジアのなかで日本を別格視するイランの受け止めも影響したという〉

出たー。また嘘ばかり言って。じゃあ、聞きましょう。安倍さん、確かにイランを訪問しましたよ。ハメネイ師と会いましたよ。で、その時、何があったか覚えていますか？日本のタンカーがイランに攻撃されて船体に穴を開けられているんですよ。イランは自分たちがやったんじゃないって言ってますけどね、アメリカ政府は「イランのしわざだ」とはっきり言っています。実際、イラン以外にそんなことする国はないんです。

イランが、日章丸の70年前から日本に恩義を感じていて、日本の「おしん」が大好きで、日本を別格視しているのがもし本当だとしたら、なんで日本のタンカーに穴開けるんですか？

しかも2021年にも日本のタンカーがイランのものと思われる自爆ドローンに攻撃されて、死者2名を出しています。そういったことに触れずに、「イランは日本を別格視している」などと書いたりして、あたかもイランと日本の間には深い友情があるかのような印象操作を行っている。つまり、牧野さんは「日本はアメリカじゃなくてイランと仲よくしましょう」って言いたいわけ。

## イラン親日論は日米分断工作

では、イランは日本のことを本当はどう思っているのか。いやいや、日本のタンカーを攻撃しているのが、もう答えになっているんですけど、ほかにも、それを示すいろいろな例があります。たとえば2021年に当時の茂木（敏充）外相がイランを訪問した時、イランの国営メディアはこういう趣旨の論評をしています。

「茂木外相も日本政府関係者も、イランと日本の関係を古くから続く普遍的で友好的なものだとしている」

これは例の「伝統的友好国」ということね。茂木さんもこの言葉が大好きで、しょっちゅう口にしていたから、それを受けてこう言っているわけです。で、

「イランはこれまで常に対日関係において日本の善意を信用してきた。しかし現実には、近年日本は米国による一方的で圧政的な対イラン制裁に追従しているため、日本とイランの二国間貿易と経済関係は深刻な打撃を受けており、しかも日本政府は両国関係を救うための実質的なイニシアチブを全く取っていない。さらに日本政府は行動を実践するようにイランに促し続けている」

要するに、これまでイランは日本の善意を信用してきましたが、でも、もう信用しませんということです。イランには報道の自由が全くないから、イランの国営メディアにこう書かれているということは、これがイランの日本に対する公式見解だということです。

そして、さらにこう続きます。

「アメリカは20年間もアフガニスタンを占領し、そのあと無責任にアフガニスタンから撤退した。アメリカが信用できない国だということは日本もわかっているだろう。だから日本は今後、イランをもっと必要とすることになるはずだ」

日本はアメリカに追随して、イランから石油を1バレルも購入することなく、イランの資産も凍結している。こうしたイランに対する制裁を解除しなければ、「日本の今ある地位は、対イラン通商経済関係により関心を持ち、より競争力のある日本のライバル国に徐々に置き換えられる可能性がある」とイランは言っているのです。

「アメリカに追従して我々イランに制裁措置をとっている日本は信用できない。制裁を解除しなければ、もはや日本とは仲良くしていけない」――これこそがイランの日本に対する評価です。

こうしたイラン国営メディアの論調を読んでから、さっきの牧野さんのフォーブスの記事を読み返してみると、けっこう怖いことがわかるんです。牧野さん、こういうことも書いているんですよ。

〈元高官は、イランの不幸な歴史から日本も教訓を得るべきだとする。「米国が自分の利益確保を最優先にするのは、何もカーター政権に限ったことではありません」。米国はカーター政権の人権外交だけでなく、常に米国の国益を第一に考えて行動してきた。２０２１年８月には、バイデン政権がアフガニスタンからの撤退を急いだ。結果的に当時のガニ大統領は戦わずに逃亡し、イスラム主義勢力タリバンが再び、アフガニスタンを占拠した〉

わかりますか、皆さん。牧野さんというフォーブスのオフィシャルライターにして朝日新聞の記者が何度も登場させている、誰とも知らぬ「日本政府の元高官」が語っていることは、イランの国営メディアが言っていることと同じです。

つまり、「日本よ、お前は、アメリカは同盟国だと言うが、アメリカは無責任にもアフガニスタンから撤退してしまったではないか。アメリカというのは信用できない国なんだよ。アメリカと付き合っていると大変なことになるよ。ほーら、イランがいるじゃないか。日本の伝統的友好国であるイランと仲良くしたほうがいいんじゃないの」っていうね、そういうほうに話を持っていっているわけです。

牧野さんの言う「元高官」が実在するかどうかはわからないけれど、わかるのは、オフィシャルライターにしてその正体は朝日の記者である牧野さんは、フォーブスという朝日以外の媒体でも、さあこれが日本のためだと言わんばかりにイラン当局のプロパガンダを流していると、そういうことなんです。

イランとしては日本が反米国家になってほしいわけ。あっち系同盟はいま仲間大募集中ですから、世界第3位の経済大国・日本がアメリカと手を切って仲間になってくれたら、もうウェルカム！ ようこそーって感じなわけですよ。だから日米同盟とか日米安保条約とかは破棄して、イランのお誘いに乗るのが日本のためであるかのように、朝日新聞は巧妙な形でキャンペーンを展開しておるわけです。

２０２２年9月21日に外務省がウェブサイトに公開した「日・イラン首脳会談」という記事には、岸田総理と「テヘランの吊るし屋」と呼ばれるイランのライシ大統領が、日本とイランの国旗の前でガッチリ握手している写真を掲載して、こう書いています。

「長年にわたるイランとの伝統的友好関係の一層の強化に向けて協力していきたい旨（岸田総理は）述べました」（傍点は著者、以下同）

ほかにも、西村康稔経済産業大臣が２０２２年9月28日、こんなツイートをしています。

「安倍元総理の国葬で来日のイランのオウジ石油大臣と会談。イランとは歴史的・伝統的友好関係を有しておりエネルギー分野はじめ重要な国。日本は核合意を一貫して支持しており関係国による早期合意を期待。私自身日イラン友好議員連盟の幹事長を務めており、将来を見据え関係強化に取り組みます」

さらに２０２２年のこれも9月に外務省が出している記事「イラン・イスラム共和国に対する無償資金協力『チャーバハール港への貨物検査装置供与計画（ＵＮＯＰＳ連携）』に関する書簡の交換」を読むと、日本はハーイ、どうぞどうぞって感じでいまだにイランに気前よくお金をあげていることがわかります。

でも皆さん、イランが陰で何をしているか知ってますか？　私はイランっていうのはヤバイ国だってことをもうさんざん言い続けていて、さすがにだんだん周知されてきたはずなんですけど、ロシアがウクライナで戦争を続けていられるのはロシアに協力する国がいるからです。そして、その主な協力国の一つがイラン、もう一つはトルコなんです。

ロシアが使っている攻撃型ドローン、あれを提供しているのがイランです。ウクライナの人々やインフラ施設をイラン製のドローンが攻撃していて、そのせいでウクライナの人たちは寒い中を電気なしで暮らすことを余儀なくされたり、家を離れてどこかに避難せざるを得なくなっているんです。つまりロシアの戦争犯罪に最も貢献している国がイランですよ、はっきり言えば。

イラン国内でも、いま反体制デモが起こっていますが、イラン政府はそういう人たちを片端からとっ捕まえて、中には死刑にした人もいる。そんな国が、70年も前の革命以前の日章丸のことを恩に着ていて、日本が大好きなんだよとか言ってる人、あなた正気ですか。

日本はイランから学ぶべきだって言う人たちは何を学べって言っているのかというと、「アメリカという国は裏切るぞ」ということなんです。70年前の日章丸への恩義とか「おしん」の大好きなイラン親日論というのは日米分断工作だと思わなければいけません。それが日本におけるメディアリテラシーです。はっきり言えば日本のメディアの報道を鵜呑みにしちゃいけないということです。

今回のテーマについて、もっと知りたいという方には、ジャーナリストの高山正之先生と私が対談した『騙されないための中東入門』（ビジネス社）という本があります。とても読みやすい本なので、手に取っていただけると嬉しいです。

（２０２３年１月26日）

## ＵＡＥが日本より韓国を信頼するやむを得ない事情

### えーっまさか、あの韓国が？

今回は珍しく、韓国の話をしようかと思います。

私は韓国の専門家じゃないし、研究者として韓国に関心があるわけでもないので、韓国単体の話だったらスルーするところですが、中東絡みで「韓国は約束を守る信頼できる国だ」みたいなニュースがツイッターで結構シェアされていて、「えーっまさか韓国が何で?」とか「騙されてんじゃねえの」「バカじゃないの」って騒ぎになっているので、これについて納得いく形で解説したいと思った次第です。

ことの発端は『中央日報』(2023年1月16日)という韓国のメディアに載った「UAE大統領　韓国の約束履行は奇跡のよう、300億ドル投資する」というタイトルの記事のようです。たぶん、このタイトルに「あの韓国が?」ってビックリした人がツイッターで広めたということでしょう。たぶんね。だって、慰安婦問題にしろ徴用工問題にしろ、いったん二国間で決めたことを、都合が悪くなると平気でひっくり返す国ですから、韓国ってね。そもそも中央日報のタイトルにも、韓国が約束を履行するなんて奇跡のようだって書いてあるじゃないですか。

じゃあ、どんな内容なのかっていうと、2023年1月に、韓国の尹錫悦大統領がUAE(アラブ首長国連邦)を公式訪問したんですね。で、UAEのいまの大統領はムハンマドさんという方で、中東はどこもかしこもムハンマドさんだらけですが、この方はムハンマド・ビン・ザイドといって、MBZというふうに略して呼ばれたりしています。その方と韓国の尹大統領が首脳会談を行いました。その席でムハンマド・ビン・ザイド大統領が「韓国に300億ドル投資しましょう」と言ったと、こういう記事なんですね。

記事によると、ムハンマド大統領は「どんな状況でも約束を守る韓国に対する信頼で300億ドルの投資を決心した」「新型コロナなどいかなる困難があっても契約履行をやり遂げてしまう韓国企業に深い印象を受けた」と語ったと、韓国の金恩慧（キムウヘ）広報主席秘書官が明らかにしたそうです。

そもそもニュースというのは、いったい誰が取材して、それを誰が伝えて、どこが報道したかというのが重要なわけ。日本のSNSで話題になったニュースのもとネタは韓国の中央日報ですが、その記事のもとになっているのは韓国大統領室の広報主席秘書官の金恩慧さんの発言で、それを伝えたのは韓国の通信社・連合ニュースです。だから、伝わり方としては、金恩慧さん→連合ニュース→中央日報→私たちということになる。つまりは基本、ぜんぶ韓国サイドから出た情報なわけです。

そうすると、一方の国はこう言っているけれど、もう一方の国は「そんなこと言ってない」って反論するというのはよくあることだから、私、これをUAEのメディアはどう伝えているのか調べてみたんです。すると、その一つに「イマーラート（首長国）が300億ドルを韓国に投資することに決めた。その対象は武器と原子力である」というのがありました。

そこで、記事をずっと読んでいくと、韓国大統領室の秘書官である金恩慧氏いわく「ムハンマド・ビン・ザイド大統領は韓国に対する信頼に基づいて投資を決定したと語った」とあります。さらに、韓国について「あらゆる状況下において約束を果たした。いかなる逆境にも負けずちゃんと約束を実行した。そういう韓国に対する信頼に基づいて投資を決めた」と書かれています。

ＵＡＥのメディアでこういうふうに報道されているということは、政府から問題なしとされた、つまり公式の事実だということです。ＵＡＥには報道の自由がなくて、お上にとって不都合な事実は絶対に報道しちゃいけないと決まっているわけですから、これが政府の公式見解ということ。つまり韓国を信頼して、その信頼に基づいて３００億ドルを投資するとＭＢＺが言ったのはどうやら本当らしいということがわかります。

## ＵＡＥと共に戦う

となると、問題は何でＵＡＥが韓国を信頼すると言ったのかって話ですが、これ、なんとなくといった漠然としたものじゃなくて、実は確たる理由があるんです。その理由がわからないと、「騙されてるんだろう」とかいう話になってしまうんですね。

そもそも日本と韓国とは、『古事記』とか『日本書紀』に書かれているような時代からの長い歴史関係があるわけですが、その歴史を振り返ると、日本人にとって韓国という国は、信頼とか約束を守るとかいった言葉と結びつけて考えることは非常に難しい、どちらかといえば信用できない国です。なぜかというと、日韓には歴史的にいろいろな問題があるからですね。

ところが世界には、韓国とはとくに深い因縁やわだかまりのない国もたくさんあります。韓国は信頼できる、もっと仲良くしていこうと公言している国もあるんです。私たちにとって韓国が信頼できないからといって、すべての国がそうだというわけではない。考えてみればあり得る話ですよね。

私は中東の研究者なので、ＵＡＥが韓国を信頼する理由というのも知っておかなければなりません。皆さんも、もしご興味があれば、私の話を聞いてみてくださいと、そういうことですね、ハイハイハイ。

ＵＡＥが韓国を信頼する理由その1。原発です。ＵＡＥには韓国が建設したバラカ原発があります。これは湾岸諸国で初めて作られた原発です。

もちろんＵＡＥは産油国ですが、石油に依存した国家経済のあり方から脱却しようという長期計画が２０００年ぐらいからありました。そこで原発を建設してくれる国を募ったところ、韓国、日本、フランス、アメリカ４カ国の企業連合体が手を上げた。そして最終的に落札したのが韓国だったんですよ。これが２００９年のことです。

そのバラカ原発は最終的には４基建設予定で、１号機は２０２０年に完成して、その年の８月に稼働して送電に成功しました。２０２３年１月現在、１号機と２号機が稼働していて、すでにＵＡＥの電力全体の15％をまかなっています。

バラカ原発はＵＡＥの国家プロジェクトなわけです。我がＵＡＥは石油依存型ではなく、原発のクリーンエネルギーで、脱石油と$CO_2$削減をめざすとアピールできる。これはＵＡＥとしては非常に喜ばしいことでした。

韓国が受注したのは２００９年で、工事は長きにわたったわけですが、その間にはコロナの世界的流行がありました。国境が閉ざされて、人の行き来や物流も止まってしまって大変な時期があったにもかかわらず、韓国は工期を守って原発を完成させ、なおかつ稼働・送電にまでこぎつけた。韓国に対するＵＡＥの信頼は、第一にここからきています。

その２は軍隊です。バラカ原発を受注したのと同じ２００９年に、韓国とＵＡＥは軍事協力に合意しているんです。

ＵＡＥには特殊部隊というのがあるんですが、これを強力な部隊にしたいというので、韓国に訓練部隊の派遣を依頼し、韓国はそれに応えて２０１０年に韓国の特殊部隊１３０人を派遣した。それ以来10年以上も軍同士の付き合いがあって、いまも韓国軍は常に一定数、ＵＡＥに駐留しているんです。

それで今回、韓国の尹大統領は、ＵＡＥを訪問した際に、駐留韓国軍を激励に訪れました。これについては２０２３年1月16日の連合ニュースが、こう報道しています。

「アラブ首長国連邦（ＵＡＥ）を国賓訪問している韓国の尹錫悦大統領は15日（現地時間）、ＵＡＥに派遣されている韓国軍の『アーク部隊』を訪れ、将兵を激励した。現地特殊部隊の教育訓練などのため派遣されている同部隊は、両国の軍事協力の象徴となっている」

で、ここから先がけっこう重要なんですが、尹大統領は隊員を前にして、こういう趣旨のことを語ったというんです。

「われわれの兄弟国であるＵＡＥの安全保障はすなわち、われわれの安全保障である。ＵＡＥの敵、最大の脅威はイランで、われわれの敵は北朝鮮だ。韓国とＵＡＥはよく似た立場にある」

わかります？　ＵＡＥの敵はイラン、われわれの敵は北朝鮮。しかもイランと北朝鮮は裏でつながっているのだから、われわれはUAEと協力して共に戦うとアピールしているわけ。そして、「韓国の国防力の強さを世界中に示せば、それだけ敵の挑発の意志を削ぐことになる」と説明したと。だから、韓国のこの姿勢こそが、UAEが韓国を信じる理由の第二点目なんですね。

韓国も日本も、同じように資源輸入国で、石油やエネルギーを外国に頼っています。日本はUAEから全体の35％に上る石油を買っていて、サウジに次ぐ石油輸入国であるUAEは、日本にとって非常に大切な存在です。一方、韓国のUAEへの石油依存度は10％弱にすぎません。にもかかわらず、両国はお互いに緊密な協力関係を強化しているわけですよ。

で今回も13件の覚書を交わしているんだけど、その中に原油需給の安定化・強化のための覚書というのがあるんですね。これはどういうものかっていうと、韓国石油公社の石油基地にUAEのアブダビ国営石油会社の石油を搬入して販売し、および需給危機の際には韓国が優先的に原油を購入できるようにするというものです。

つまりUAEは韓国に対して、「あなたの国を信頼していますから、有事の際にも優先的に石油を売ってあげます。安心してくださいね」と言っているわけです。韓国の石油も、日本と同じように、ほとんどがホルムズ海峡を通って輸入していますが、でも、いつ何があっても心配しないでね、っていうことです。

ほかにも原発に関して、原発の貿易手続きを簡素化するとか、第三国に原発を輸出する時は共同進出しようとか、核燃料に一緒に投資しようとか、小型モジュール炉ＳＭＲの技術開発をしようとか、そういう覚書を交わしておるんですよ。

日本の場合はどうかっていうと、ただＵＡＥから石油を買っているという、どちらかといえば一方通行に近い関係なわけです。一方、韓国とＵＡＥとの関係は石油だけじゃないっていうか、むしろ石油以外のところが大きい。一つは原子力技術、もう一つは軍事協力ね。そう考えれば、ＵＡＥの大統領が、韓国への信頼に基づいて投資すると言うのもわかるでしょ。

ＵＡＥは明らかに日本より韓国のほうを信用しているし、韓国との関係を優先させている。その理由をすごく平たく言っちゃうと、韓国はＵＡＥが必要としているもの、欲しがっているものを与えてくれる国だから。日本は石油をいっぱい買ってくれるけど、こちらが必要としているものを提供してくれない。つまりはいいお客さん止まりってことなんです。

ＵＡＥにとっては、国の形として脱石油を図ることが重要なわけです。石油を売ってバンバン儲けているいまのうちに、そのお金を非石油分野に投資することによって、国を長期的に発展させることを考えている。ＵＡＥの戦略というのは、サウジがオイルマネーを投資して自分の国にゲーム産業を育てようとしたりしているのと、基本、同じなんですね。

## なぜ日本は信用されない

じゃあ、もう一つ、なぜＵＡＥがそれほど軍事力の強化を重要視しているかというと、それは例の「アラブの春」があったからです。

これは２０１０年末から２０１１年にかけてアラブ諸国で起こった反体制運動ですが、ＵＡＥはそれを機に自国の軍隊の強化に努め始めました。なぜなら、この「アラブの春」によって、多くの国の体制がひっくり返ってしまったからです。チュニジアのジャスミン革命を皮切りに、エジプトのムバラク政権、リビアのカダフィ政権、それからイエメンとかね、アラブの長期独裁政権がバタバタ倒れていったわけ。

それを見てＵＡＥはウチもうかうかしていられないというわけで、最強の軍隊を作って、反体制運動なんかひと捻りで潰せるような体制を作ることにしました。ＵＡＥの軍隊って詳細は全くわからないんだけど、一説によると、中東で最も軍事予算の対ＧＤＰ比率が高いのは実は5・6%のUAEかもしれないって言われていますね（5・6%は世界で6番目）。公式発表によると、中東でいちばん強力な軍隊を持っているのはトルコで、2位がエジプトなんですね。でもUAEは予算的には実はトルコと同じぐらい使っているって言われているんです（2022年軍事費ランキングだとサウジが世界で8位、ちなみに日本は9位）

じゃあ何にどう使っているかっていうことなんですが、まず、UAEは人がむちゃくちゃ少ないんです。UAEに住んでいる人の9割は外国人で、国民は1割しかいない。それでどうやって軍隊を強化するかというと、それは外国頼みなんですね。この話はまたいつかしようと思うんですけど、外国で傭兵を募ったり、アメリカの退役軍人を数百人規模で大量に雇ったりしているんです。それで軍の指揮とか指導とか訓練とか、あらゆることをやらせているわけ。

これ、アメリカで実はちょっと問題になっていて、なぜかって言うと、アメリカの軍人っていうのは退役して別の仕事をするのはかまわないけれど、アメリカ以外の国に忠誠を誓ってはいけないという規則があるからなんですね。

それはともかく、UAEは大金をはたいて、アメリカの退役軍人や外国の兵隊を雇って軍隊を強化している。その一角に韓国が食い込んでいるというわけです。「韓国さん、お宅の特殊部隊すごく強いらしいじゃない。ウチの特殊部隊、ちょっと鍛えてやってくれよ」って言ってみたら、「まかせて下さい」って胸をたたいた。これが信頼につながるんですよ。

日本だとこうはいかないでしょ。そもそも軍隊いませんから。自衛隊があるって言ったって、活動できる範囲っていうのは一般の国の軍隊に比べたらお話にならないくらい制限されている。そもそも外国に派遣するというだけで野党やマスコミが大騒ぎする国ですからね。UAEの軍隊と交流したり、関係を強化するなんてもってのほかですよ。

そのうえ、バラカ原発に関しても、日本は入札で韓国に負けてしまったわけです。このところ原発の輸出に関して負けが混んでいるのはなぜかというと、日本ではいま原発開発技術が停滞しちゃっているから。その大きな原因は福島原発の事故です。

原発事故のちょっと前ぐらいから、日本はもう10年以上、新しい原発を作っていません。ということは、もうそこから原発の新技術開発が止まってしまっているわけです。それから、さっきちょっと話に出た小型モジュール炉SMRを開発していた企業もあったんですけど、そこに国が投資して日本全体でバックアップするということをやってこなかった。これは日本人の核アレルギーがいっそう重症化したためだと思われますが、そうこうしているうちに韓国にも追い抜かれることになってしまいました。

日本は石油を買うだけで、ＵＡＥが必要としているものを出してあげられない。この一方的な関係は、サウジに対しても言えるんですね。みなさん、覚えていらっしゃるかどうか知りませんが、２０２２年の11月に、サウジの実質的な指導者であるムハンマド皇太子が、バリ島でのG20に出席後、日本行きを取りやめ、韓国を訪れて韓国企業に３００億ドルの投資を約束したことがありました。さらにこの時、サウジ国営の石油会社アラムコの韓国の子会社に巨額の投資をして、韓国に世界最大規模の石油精製工場を作ることも決めています。

サウジは韓国以上に中国と仲がいいんですけど、なんで日本じゃないのかっていうと、やはり韓国や中国がサウジと双方向性の関係を築いているのに、日本は単なるいいお客さんというだけの一方的な関係でしかない。ＵＡＥと同じく、サウジが欲しいものを日本は与えることができないでいるということです。

今後、韓国は韓国製の武器をＵＡＥにどんどん輸出していく方針らしいんですね。すでにＵＡＥはＭ-ＳＡＭという韓国製の防空システムを導入しているんですが、今回の尹大統領の訪問を機に、その武器輸出をさらに加速させていくと報じられています。

ＵＡＥにとって軍事はとりわけ重要です。一つには国民に反乱を起こさせないためだけど、もう一つは対イラン。中東にはイラン子飼いの武装民兵っていうのがいっぱいいるんです。その一つがイエメンにいるフーシという組織で、これがＵＡＥに弾道ミサイルを撃ち込んだり、ドローンを飛ばして石油施設を攻撃したりしている。いまはＵＡＥに駐留しているアメリカ軍がミサイルを迎撃したりして守ってくれてはいますが、ＵＡＥとしてはアメリカに全面的に頼りたくはない。バイデンのアメリカはちょっとイラン寄りのところがあるから信用できない。そのリスクをヘッジするために韓国も使っているということなんですね。

ついでに言いますと、ＵＡＥがなんで日本をあまり信用していないかっていうと、その理由の一つは日本がイラン寄りだからなんです。ＵＡＥにとって、イランはいちばんの脅威であり、大敵なわけです。それがわかっているから、韓国の尹大統領は「われわれの敵は北朝鮮だ。共に戦おう」と言ったわけです。

日本に同じことが言えますか？　日本政府は「イランは日本にとっての伝統的友好国です。もっと仲良くしましょう」とか言って、イランに投資したりお金をあげたりしています。だから、日本はイランの仲間だ、信用できないと中東諸国に思われているわけ。日本の中東研究者も、私の大好きな高橋和夫先生のように、テレビでＵＡＥの悪口ばかり言って、イランは歴史のある立派な国なんだとか褒めちぎっています。だけど、もしＵＡＥとサウジから石油を売ってもらえなくなったら本当にヤバイことになる。だから、こういう中東研究者の偏向した言説をはびこらせていてはいけないと私は常々言っておるわけです、ハイハイハイ。

ということで中東研究者の悪口を言いだすととまらなくなりますので、このへんで。今回は「韓国は信頼できる」とか「約束を守る国だ」とかいうにわかには信じられない話も、中東がらみで考えれば故なしとしないというお話でした。

（２０２３年１月16日）

## アラブ諸国と中国に「友情」で立ち向かえるのか

### 西村大臣のツイートはヤバさ爆裂！

令和４年の暮れも押しつまった12月27日、経済産業省のホームページに「西村経済産業大臣がサウジアラビアに出張しました」という報告書を見つけました。その内容は、次のようなものです。

「12月25日（日曜日）及び26日（月曜日）、西村経済産業大臣はサウジアラビアを訪問し、アブドルアジーズ・エネルギー大臣との日サウジ・エネルギー協議を行いました。また、日・サウジ・ビジョン２０３０投資フォーラムを開催するとともに、ファーレフ投資大臣、ルマイヤンＰＩＦ総裁とのバイ会談を行いました」

ちなみにＰＩＦとはサウジアラビアの政府系ファンド「パブリック・インベストメント・ファンド」のこと。言わずもがなかもしれませんが、「バイ会談」とは二国間会談のことですね、ハイ。

そうして、「（投資フォーラムには）重工業、商社、銀行等の大企業及びスタートアップなど60社・１５０名以上の日本企業ミッションが参加しました」という〝成果〟を誇ります。お役所がホームページで自画自賛するのは当然すぎるくらい当然ですが、私はこれを読んでかなりヤバイと感じました。

さらに、当の西村康稔（やすとし）経済産業大臣はご自身でツイッターをなさっていて、サウジ出張中の12月26日に、こうツイートしています。

「長年の友人アブドルアジーズ・エネルギー大臣と会談。サウジは長年の信頼できるパートナー。信頼は今後も変わらないことを確認。世界の原油市場の安定に取り組む重要性でも一致。産油国と消費国の対話、Ｇ７、Ｇ20での協力を進める。カーボンリサイクルや水素・アンモニア等に関する協力覚書２本を締結」

経済産業省のホームページに感じたヤバさ爆裂です。

この短いツイートのなかに「長年の友人」「長年の信頼できるパートナー」「信頼は今後も変わらない」と同じようなきれいごとの言葉が繰り返し出てきます。表面的にみれば、サウジとの関係は盤石。これからも安定したいい関係が続いていくかのように読めます。しかし私に言わせれば、こういうことを書けば書くほどヤバイとしか言いようがありません。

そもそも今回、西村さんがサウジへ行った目的は何か。ＮＨＫはこのように報じています。

「西村経済産業大臣は25日から３日間にわたって中東のサウジアラビアとオマーンを訪問します。中国がアラブ諸国に接近するなか、日本としてはエネルギーの安定調達のほか脱炭素やインフラなどの分野で関係強化を図ることにしています」（ＮＨＫ　ＮＥＷＳ　ＷＥＢ　２０２２年12月25日）

中国がアラブ諸国に接近している。日本も負けていられない、巻き返さなければいけない。これは対中国戦略でもあると、あの公共放送ＮＨＫがはっきりそう言っているのです。決して私の憶測ではありません。さらにＮＨＫはこう続けます。

「原油や天然ガスのほとんどを海外に依存する日本にとってアラブ諸国との関係はいわば『生命線』です」

そう、まさしく生命線なんです。この言葉、軽く使われがちですが、これが切れたら死んでしまうということですよ。そして、

「今月、中国とアラブ諸国による初めての首脳会談が開かれるなど、中国が接近する姿勢を強めています。このため日本としては、エネルギーの安定調達のほか脱炭素やインフラなどの分野でも（サウジと）共同のプロジェクトに道筋をつけ、関係強化を図ることにしています」

「……と思われる」ではなく、「こうなのだ」とＮＨＫがはっきり書いている。日本も中国に負けるな、中国に追いつけ追い越せと言っているのです。つまり、これが日本の公式な対サウジ戦略だということです。

では、どういうやり方で中国と張り合うというのでしょうか。経済産業省の報告、西村大臣のツイート、ＮＨＫの報道を見る限り、脱炭素やインフラの分野で関係を強化するの

だというのです。……えっ？

なぜアラブ諸国が日本の生命線なのか。日本には資源がない。石油や天然ガスを外国から買わないと物理的に生きていけません。ではどこから買っているかというと、石油の場合、９割が中東です。中でもサウジだけで３割強を占めています。ということは、日本とサウジの関係は一にも二にも石油を安定的に、安価に売ってもらうこと、これに尽きるのです。それが現実です。

でも、西村さんは、世界の原油市場の安定は重要ですねと〝友人〟と「一致」した（話が合った）だけで、覚書を交わしたのはカーボンリサイクルや水素・アンモニア等に関する協力だと言っています。

西村さんは、サウジに対して石油を安定供給してほしいと頼んだのでしょう。はっきり言えば「増産してください」ということです。それに対してサウジは、「投資してくれるならいいですよ」と応じた。それが石油消費国に対するサウジの対外基本路線です。もちろん、日本はわかりましたと答えます。その投資の対象が脱炭素やカーボンリサイクルだというわけ。それが日本の得意分野だからですが、問題は本当にそれで中国と張り合えるのかということです。

## 対サウジでも中国に完敗

中国とサウジは現在、どんな関係にあるかというと、中国はすでにサウジのいちばんのお得意さんです。2019年におけるサウジの主要輸出国ランキングの1位は中国。全体の2割を占めています。次がインド。3位が日本。4位は韓国。かつては主要輸出国だったアメリカが5位。サウジの輸出相手はもっぱらアジアです。

中国への輸出はさらに増えているでしょう。サウジの対中国輸出の8割以上は石油および石油関連物質。サウジと日本の関係は石油の安定供給に尽きると言いましたが、サウジと中国との関係も、基本的には石油です。ただ、中国は単にサウジから石油をいっぱい買っているだけではありません。

2021年には、サウジの国営石油会社サウジアラムコの石油パイプライン事業の49%を中国国営ファンドが買収しています。さらに2022年12月初旬に習近平国家主席がサウジを訪問した際、石油の対中輸出量を増やす方針を決めましたが、それに加えて、中国とサウジが共同でマイニング（採掘事業）を行うことになりました。サウジにはまだまだ石油と天然ガスが豊富にありますが、広い国だから、どこに油田が眠っているかわからない。そこで中国が協力して探して、さらに開発を行いましょうというわけです。さらに、中国にできる石油精製工場にサウジアラムコが百億ドル出資することも決まりました。

このように、中国はサウジから一方的に石油を買うだけではなく、石油に関する結びつきをどんどん深めています。新たな油田を探す、パイプラインを引く、石油工場をつくる。しかも、中国とサウジの関係は石油だけではありません。

西村経産大臣は脱炭素とか、水素・アンモニアがどうとか言っていましたが、クリーンエネルギーの分野でもすでに中国とサウジの関係はかなり強化されています。たとえばCEECという中国国営の電力インフラ企業がサウジのシャイバに中東最大の2・6ギガワットの太陽光発電所を建設しているのを始め、中国企業はサウジにおけるクリーンエネルギー、再生可能エネルギー・プロジェクトに投資する覚書をどんどん交わしています。

さらに加えて、中国の自動車会社がサウジに年間10万台の電気自動車工場を設立する契約を交わし、あのファーウェイがサウジにクラウドコンピューティングエリアを構築するなど、ハイテク複合施設の建設を進め、さらに原子力の平和利用計画もある。安全保障の分野でも、中国のドローン工場をサウジに建設し、サウジがドローンの開発を行うことが決まった……等々、ありとあらゆる分野でものすごい数の中国企業が合意を取り付けています。

サウジアラビア商工省のホームページには、習近平来訪時に35の合意を交わしたと、中国企業のロゴがズラーッと並んでいます。それに比べてまぁ、日本の〝成果〟の見劣りすることといったら……。

だって西村さんが言及しているのはカーボンリサイクルや水素・アンモニア等に関する覚書2本。……2本ですよ。数だけで当たり負けしています。日本も負けていられない、巻き返さなければいけないどころの騒ぎではありません。もはや完敗と言うしかありません。

中国とサウジの関係がここまで密接になって、サウジの産業と経済に中国が深くコミットしていくと、もう一つ問題が出てきます。これからサウジのインフラに中国の技術がますます入り込んでいくと、そこからサウジに関連する情報が中国に筒抜けになる可能性があるという問題です。

だから、アメリカはサウジに対して「いつまでもこのままでいいとは思わないでくださいよ」と釘を刺しています。これは対アメリカだけではなく、サウジと関係を持っているあらゆる国に関して言えることです。サウジの内部に中国が関与すればするほど、今後のサウジの動向や決定に中国の意思や意向が反映されてこないとも限りません。

もちろん、日本も不利益を被る可能性は大です。そんな状況下で、日本が「いやいや、サウジにとって日本は中国よりずっと大事な国ですよ。だって、僕たちは長年の友人じゃありませんか。信頼は変わらないって言ったじゃないですか、僕らはずっとお友だちでしょ」なんて言ったら、ちょっとアブナイ人だと思われかねません。

サウジはずっと石油依存国家でした。いまはそこから脱却するため経済の近代化を図っているところです。石油に依存するだけの経済構造では国が亡びる。そこで世界中に投資を呼び掛けています。日本であろうと中国であろうと、投資してくれる国なら大歓迎なのです。

とは言っても、中国がすでに深くコミットしている分野に、中国より規模や金額の点で遥かに劣るショボい投資をしたところで、サウジからしたら、もちろん投資は歓迎だけれど、それが中国を超える意味を持つわけがありません。中国にはできない、日本だけにしかできない協力関係を構築しなければいけないということになります。

しかし、中国は長期戦略も抜かりない。皆さんもよくご存じだと思いますが、孔子学院という教育機関を世界に置いて、中国語の普及に努めています。アラブ諸国というのは外国語教育が盛んで、かなり広い範囲で英語が通じます。中東というのは歴史的にいろいろな言語を使わないと生き残れない、そういうポジションにあったからです。いまでは小学校・中学校の段階で外国語の選択授業に中国語が入っています。中国はサウジにとっていまいちばんのお得意さんですから、中国語ができる人材を育て、中国に留学させて、中国に人脈をつくることがサウジの生き残りのために必要だというので、国家戦略として中国語教育をやっているわけです。私が住んでいたエジプトにも孔子学院がどんどんできています。エジプトもサウジと同じように、国策として中国語教育の普及に力を入れているのです。

最近、欧米では、孔子学院は中国のプロパガンダ機関である、スパイ疑惑があると言われるようになって閉鎖する政府や大学も多いようです。手段を選ばぬそうした中国の戦略を通して、サウジを始めとするアラブ諸国は中国をどう見ているか、日本をどう見ているか、その対中国観、対日本観はどう変わってきているか。これはすごくヤバイ状況にあると私は思います。

日本はいまほとんど中東からしか石油を買っていません。石油の輸入元を多角化するという試みがうまくいっていないからです。それは主に価格の問題で、中東以外に大量の石油を安価で売ってくれるところが見つからないのです。中東から買うしかないのに、中東の国はどんどん中国に接近している。それが現状です。

アラブ諸国との関係は日本の「生命線」だと、あのNHKでさえ言っているではありませんか。日本という国家の維持にかかわる重要案件であることを念頭に置いて、中東に対する外交戦略を練っていかなければいけないのに、西村さんみたいに「長年の信頼関係があるからだいじょうぶダイジョーブ」なんて言っていていいのでしょうか。

中国がサウジと仲良くしているから、日本もここで存在感を示さないと、というのでサウジまで行ったのに、完敗しとるやん。中国とサウジの強固な関係を切り崩すようなプランもなし、見通しもなし。中国を追い越すどころか追いつくことさえできそうもないのに、その事実から目を逸らして、「長年の友人」みたいな情緒的な言葉でごまかしてはいけません。「走れメロス」か。

お上と、お上に近い知識人・専門家の方々には、この問題の重要性をぜひわかっていただきたい。中東研究者の末席に連なる者として切にお願いする次第です。

（2022年12月26日）

# 第2章

# 反日メディアの懲りない面々

## 「元寇は話し合いで解決できた」という歴史フェイク記事の狡猾さ

### 朝日の価値観で「侍」を侮辱されてたまるか

いきなりですが、みなさんご覧になりましたか、朝日新聞のこちらの記事。

「(日曜に思う) 鎌倉幕府における外交の不在　記者・有田哲文」(2023年2月5日)

変わってるでしょ、普通、タイトルに「記者・誰々」なんて名前が大きく出ることってないじゃないですか。見た瞬間、なにかがヤバイな、いやいや間違いなくヤバイなって思わせる記事ですね。

この記事の2パラグラフ目に、こんなことが書いてあります。

「元寇とも蒙古襲来ともいわれる戦争が鎌倉時代に2度起きた。最初の文永の役で、博多湾に上陸した元軍を何とか追い返すことができたのが1274年。その翌年に、元からの使節5人が現在の山口県下関に着いている。しかし、幕府が選んだのは彼らと話し合うことではなく、首をはねることだった」

ハイ、朝日の言うことですから、もうおわかりですね。これは、外国からやってきた使節の首をはねるとは、日本は鎌倉時代からなんと野蛮な国だったのかという、例によって日本をディスる記事でございます、ハイハイハイ。

そんなに長くない記事なので、ちょっと飛んで最後から2番目のパラグラフをご紹介しますね。すごいことが書いてあるんですよー。

「しかし今、鎌倉時代の史実に教訓を求めるなら、当時の日本における外交のお粗末さに目を向けるべきではないか。元側が繰り返し使節を派遣していたことを考えれば、戦いによる犠牲を避けようとする姿勢があったのは明らかだ。そこを利用し、元に服属することなく、戦争も回避する、そんな狭き道を行くような外交もあり得たのではないか。当時の日本がもっと国際的な情報に通じ、交渉に長けた人材を擁していたならば」

ちょっとあなた、「元に戦いによる犠牲を避けようとする姿勢があったのは明らかだ」とかとぼけたことを言ってますけどね、第1回目の元寇の文永の役で日本人の側にどれだけとんでもない犠牲が出たか知らないの？　学校で習わなかった？

私は世界史の先生の資格を持っているんですけど、日本史も勉強しましたし、世界史的な視点でも、元、つまりモンゴル帝国がどういうふうに成立したのか、フビライ・ハンの時に、版図を広げようというので世界各地に軍を派遣して次々に征服していった話、有名でしょ？　日本に軍勢を送ってきたのも、日本をたたき潰すためじゃありませんか。突然、壱岐・対馬に攻めて来て、島の人たちをほとんど皆殺しにしたんですよ。

「戦いによる犠牲を避けようとする姿勢があったのは明らかだ」って、何を寝ぼけたこと言ってるの、え？

朝日はね、元が突然、大軍を送り込んできて、日本でとんでもないことをやらかしたっていう事実はひた隠しにして、「鎌倉時代の史実に教訓を求めるなら」って言い出すわけ。史実に教訓を求めるなら、都合の悪いことに目をつぶったりしないで、史実をしっかり認識しましょうよ。

しかもね、「元に服属することもなく戦争も回避する、そんな狭き道を行くような外交もあり得たのではないか」とか言ってますけど、あり得ませんよ。あなたね、史実を顧みましょうよ。元と話し合う？　そんなのんきなこと言っているうちに領地はどんどん取られてしまいますよ。

日本がもっと国際情報に通じていればって、あなた、国際情勢に通じていればこそ、元というのがいかにヤバイ国で、攻め込まれたら必死に戦わないと国が滅ぼされることがわかったわけですよ。元にすれば、攻めていった国を皆殺しにするか。全面降伏させて属国にするかの二択しかないわけ。

そういう相手と一体何をどう話し合って落としどころを探れっていうんですか。狭かろうが広かろうが、第三の道なんてないんですよ。そんな無理を言っておきながら、この記事はいけしゃあしゃあとこう続くんです。

「元寇といえば、『鎌倉武士たちが勇敢に戦った』、『嵐も日本側に味方した』といった話になりがちだ。それは神風神話につながり、太平洋戦争では『最後は神風が吹いて勝利する』と語られ、その名を持つ特攻隊まで生まれた」

元軍に応戦して勝利したせいで日本は神風という妄想を抱くようになった。その妄想が太平洋戦争時の神風特攻隊を生んだのだというわけ。つまり、元が使節を送ってきた時、この記事をお書きになってる有田さんのような国際情勢に通じた交渉上手な人材が鎌倉幕府にいて、元と話し合いをしていれば、神風特攻隊などという愚行に及ぶこともなかったと言うんですよ。

ご紹介したのは一部ですが、この記事は最初から最後までおかしいところだらけです。まず現代の価値観で過去を断罪していること。いや、現代の価値観というより、朝日新聞の偏狭な価値観と言ったほうが正確ですね。あらゆる戦争は忌むべき悪で、話し合いこそ最良の外交政策だという朝日イズムです。

ある日突然、侵攻してきた元に対して自衛のため戦った750年前の日本政府を、話し合いイコール正義という朝日新聞の価値観に則って断罪することが理にかなっているかどうか、ちょっと考えればわかりそうなものじゃありませんか。

世界征服を狙っていたモンゴルと勇敢に戦ったのは日本にとって正しい選択だったというのがごく普通の歴史の見方ですよ。ところが朝日は、それは誤りだ、日本は話し合うべきだった、なぜなら戦争は絶対悪だからと主張して、歴史観を塗り替えようとしているわけ。

もっともこれは朝日の専売特許ではなくて、その基になっているのはアメリカのいわゆるキャンセルカルチャーというやつです。これはまさしく、現在の価値観から過去を否定し批判する、つまりキャンセルするもので、これまで正しいとされてきた過去の権威を否定することによって、自分がその権威に成り代わるのが目的なんです。そこまで行って初めてキャンセルカルチャーは成立する。

朝日の場合は、過去の日本史上の外国との戦いはすべて間違いだったと批判することによって、自分だけが歴史の正しい側に立とうとしているんです。戦いは悪だ、話し合いは正義だという朝日イズムこそ歴史に通底する正しい価値観なんだということにしたい。そのためには歴史の修正もいとわない。この記事もその一つです。

過去の戦争をすべてキャンセルしたいなら、朝日こそ真っ先にキャンセルされろって話ですよ。鎌倉幕府を批判してる場合じゃない。だって、嘘の記事をガンガン書いて戦争を煽ったのは誰ですか、朝日でしょ。朝日ほど罪深いメディアはないんですよ。

それに、元は「戦いによる犠牲を避けようとする姿勢があった」どころか、対馬と壱岐でお百姓さんはじめ日本の一般ピーポーに対していかに残虐極まりないことをやらかしたか、私でも知っていますよ。それを隠しておいて話し合えばよかったなんて言っちゃダメでしょ。

## ロシアが元、ウクライナが鎌倉幕府

私、日本史は専門じゃないので、日本史の先生が元寇の最初の戦い、文永の役について書かれた文章をご紹介したいと思います。九州大学を出られた上田純一先生という方は『日本大百科全書（ニッポニカ）』にこう書いていらっしゃいます。

「1274年（文永11）10月3日、蒙古・高麗の兵約2万8000よりなる征日本軍は（中略）10月5日、対馬に上陸。この時、対馬守護代の宗助国以下が防戦のすえ戦死した」

すでに防戦なんですね。何の準備もない状態のところへいきなり襲い掛かってきたんだから、戦う以外の選択肢はない。守護代の宗助国も殺されたわけですよ。そして、対馬の次は壱岐です。

「10月14日、壱岐が襲われ、守護代平景隆以下が戦死。対馬・壱岐2島の百姓らは、男はあるいは殺されあるいは捕らえられ、女は1か所に集められ、数珠つなぎにして舷側に結び付けられるなどの残虐な行為を受けたという。10月20日、元軍は博多湾西部の今津、百道原などに上陸し、麁原、鳥飼、別府、赤坂（いずれも福岡市内）と激戦が展開された。日本軍は少弐経資、大友頼泰の指揮のもとに、経資の弟景資が前線の指揮をとり応戦したが、石火矢を使う蒙古の集団戦法に大いに苦戦した。最終的な勝敗が決せぬまま、同夜、蒙古軍は撤退を開始したが、さいわいにもいわゆる『神風』なる大暴風雨が吹き荒れ、蒙古の兵船は壊滅的打撃を受けた。未帰還者1万３５００余人といわれている」

わかりますか、みなさん。現代の価値観からしても、国際法から見ても、日本のとった行動は自衛権の行使であって、合法ですよ。一般市民が惨殺されたあげく、数珠つなぎにされて船に縛り付けられたっていうのもよく知られた話ですよね。あまりにおぞましいので、くわしい描写は避けますけど。

元の使節の首をはねたのも当然でしょう。これだけのことをやらかしておいて、使節は日本に服従を要求してきたんですよ。それを突っぱねたことを朝日は批判して、話し合うべきだったと言うけれど、第三の道なんてあり得ない。服従するか戦うかです。当時、日本と同じように元、つまりモンゴル帝国に抵抗したベトナム、チャンパ、ビルマ、ジャワはモンゴルに飲み込まれずに済んだ一方で、南宋や高麗、チベットは元の属国になってしまいました。鎌倉幕府が戦わずに蒙古に従っていたら、現在の日本があったかどうかもわかりません。だから幕府の判断は称賛されこそすれ、朝日ごときがとやかく言う筋合いのものじゃないんです。

最後にもう一つ、朝日が狡猾なのは、この記事で日本をディスるだけではなく、ウクライナまで批判していることです。いまどき朝日を読んでいる方は少ないかもしれませんが、1年前にロシアがウクライナに侵攻して以来、朝日は一貫してロシアではなくウクライナを批判していることにお気づきの方もいらっしゃると思います。

ウクライナは話し合いという外交努力をしていないというのが朝日の言い分です。そもそもロシアが武力行使をせざるを得ないまでに追い詰めたウクライナが悪い、ロシアの停戦呼びかけに応じないウクライナが悪いというわけですよ。

さらに最近では、ウクライナをなんだか欲しがり屋さんみたいに揶揄しています。西側諸国に何かっていうと武器をおねだりして、まだ戦争を続けるつもり？　いやだ、野蛮。えっ、戦車を供与してもらったと思ったら、今度は戦闘機が欲しいって？　すごい野蛮なんですけどーっていう感じで、風刺画みたいなのまで載せていました。風刺にも何にもなっていない、全然笑えない漫画です。それが朝日イズムです。

とにかく話し合うことだけが正義だ。ロシアに突然、攻め込まれて応戦しているウクライナは、鎌倉時代の日本と同じだ。ウクライナが悪いと、こうなるわけですよ。現在のウクライナを批判するために、朝日は７５０年前の元寇を利用しているわけ。これ、ちょっと異常じゃありませんか？

こんな異常な記事の筆者の名前が、タイトル部分に大きな文字でドーンと出ているのはなぜでしょう。私、この有田哲史さんという筆者はどんな人かと思ってググってみました。

そしたら、さもありなん。２０１６年から２０２２年まで、朝日新聞の「天声人語」を書いていた人なんですって。論説委員が担当する１面コラムのタイトルが「天声人語」で、最近は知らない人も増えましたが、かつては〝朝日の顔〟ともいわれた名物コラムです。

そういう人だから、朝日イズムを広めるためだったら歴史の改竄、我田引水、牽強付会はお手の物です。

元軍の蛮行をひた隠しにして、戦いを選んだ日本を外交オンチの野蛮国家であるかのように印象操作して、いま、自分の国を守るために一生懸命戦っているウクライナを非難する。やり方があまりに汚いと思いませんか。私が最近見た記事の中でも、抜きん出て狂った記事の一つです。

しかも、記事中で「東京大学名誉教授」なる人物に「外国の使節を殺すなんて馬鹿げた行為としか思えない」とか言わせて、朝日のキャンセルカルチャーを権威付けている。怖いですね、恐ろしいですね。これまでの一般的な価値観を一掃して、朝日の価値観だけが正しいという世の中にしようと企んでいるわけです。ジョージ・オーウェルの『1984』の世界ですね。

そんな世の中にならないよう、朝日新聞をはじめとするキャンセルカルチャーにはくれぐれもお気をつけください。

（2023年2月6日）

## 悩める女子高生に整形を勧め政府批判に利用する朝日

### 「解禁」の意味を知らなかった〝大朝日〟

ハイ、今日は3月の13日。今日からマスクをしなくてもよくなりました。厚生労働省のホームページにも、「マスクの着用の考え方について」ということで、このように書かれています。

「これまで屋外では、マスク着用は原則不要、屋内では原則着用としていましたが、令和5年3月13日以降、マスクの着用は、個人の主体的な選択を尊重し、個人の判断が基本となりました。本人の意思に反してマスクの着脱を強いることがないよう、ご配慮をお願いします」

今日からはマスクをつけるかつけないかは基本、個人で判断しろということですね。したい人はしろ、したくなければするな、他人があれこれ言うなと。要するにコロナの流行以前に戻ったわけですね。

コロナの前にも、冬場とか花粉症の季節にマスクしている人はけっこういましたし、女子なんかだとお化粧するのがめんどくさいとかね、寝ている時に喉が乾燥するのを防ぐためにマスクして寝るとか、いろんな人がいました。だから、好きにしてくださいと、こういう話のはずなんですが……。

ところがですよ、昨日でしたか、私の大好きな朝日新聞が、またまたやってくれました。もう見出しからして目を疑うような記事を書いてくれたんですね、ハイ。それがこちら。

「『マスクは精神安定剤』夢は美容整形の女子高生、おびえるマスク解禁」（2023年3月12日）

内容については後回しにするとして、この「マスク解禁」って言葉、マジで使っているんでしょうか。

あのね、「解禁」というのはこれまで禁止していたことを解除するって意味ですよ。だから「マスク解禁」と言ったら、これまでマスクをしてはいけない、マスクするのは絶対ダメと禁止されていたのが、「ハイ、今日からマスク解禁です。これからは自由にマスクしてください。花粉症のみなさん、おめでとう！」ってなものですよ。

え？　私たち、いままでマスク禁じられていました？　禁じられていませんよね。むしろ逆ですよね。コロナの感染が広がった当初はみなさん、マスクをしてくださいってお上からお願いされていましたよね。私はその頃、日本にいなかったので、事情はあまりわかっていないんですが、個人の権利に関わることだから命令こそできないけれど、感染を防ぐために必ずマスクをしてくださいと懇願されたはず。禁止どころの騒ぎじゃなかったんじゃありませんか？

禁止されていなかったものを解禁するというのはあり得ない。記事の内容以前に、日本語として間違っています。新聞社として恥ずかしくありませんか？　書いた記者だけでなく、デスクも、編集長も、校閲者も、だーれも間違いに気づかずに通しちゃったわけですから。朝日の人たちはみんな「解禁」という言葉の意味を間違えて平気で生きているんですよ。恐ろしいことですね。

最近の朝日の日本語のおかしさは目に余るものがあります。かつては確か「受験に役立つ朝日」とかＰＲしていたような気がしますが、受験生のみなさんは決して朝日新聞を読んではいけませんよ。

日本語がおかしければ内容もおかしいに決まっているんですが、まず、記事の冒頭を読んでみましょう。

〈「マスクは精神安定剤のようなもの。マスクをせずに外に出るなんて絶対にありえない」静岡県の高校2年生の女性（17）は「マスク解禁」の13日が怖くて仕方がない。「なんで私だけこんなに醜い顔で生まれたんだろう」と悩み続けてきた〉

この書き出しを見た瞬間、いやいや、この「静岡県の高校2年生」って本当に存在するのかよって、まずそう思いますよね。朝日新聞には、朝日が言ってほしいことをまさにピッタリのタイミングで言ってくれる匿名の個人が頻繁に登場します。ちょっと話ができすぎているとか、いくらなんでもタイミング良すぎるだろうとか、言ってることが朝日のイデオロギーそのままやんけとかね、いろんな理由で、これは実在の人物ではないなと疑われるケースがしばしばあって、私はこれを恐山のイタコにちなんで〝イタコ記事〟と呼んでおります。

この記事もイタコの口寄せである可能性が高いんですが、この女子高生が決して霊ではなく、実在すると仮定すると、彼女は朝日の記者に対して、「自分の顔に劣等感を抱いているので、マスクをとるのがいやで仕方ない」と言ったそうです。

もしもこの朝日の記者が「解禁」という言葉を正しく使う日本語能力を有する、良識ある大人であれば、厚生労働省の「マスクの着用の考え方について」というホームページを見せてあげれば、それですんだんですよ。

「マスクの着用は個人の主体的な選択を尊重し、個人の判断が基本となった。だから、あなたがマスクを外したくなかったら外さなくてもいいんだよ、誰もあなたにマスクをしろともするなとも強制するわけじゃない、好きにしていいんだから安心しなさい」とアドバイスすれば、問題は解決するはずなんです。

ところがこの記者は、この女の子を安心させるどころか、この子の悩みがあたかも政府のせいであるかのような記事に仕立て上げた。その前提になっているのが、この女子高生の外見が醜いということです。彼女はこう言っていると、記事にはあります。

「マスクが日常となってから、入学した高校の友人たちにマスクの下の顔を見せたことはほとんどない。マスクのない顔を見られたら、悪口を言われたりいじめられたりするのではないかと、どうしても怖い」

朝日はいつも、人を外見で判断するルッキズムは差別だ、あってはならないことだと言っています。だから、もし自分は醜いと悩んでいる人の悪口を言ったりいじめたりする人がいたら、「そういうことをする人間が悪い、人々の意識改革が必要だ」と批判するはずじゃないですか。朝日イズムに則って考えれば、そういうことになる。でも、この記事では、悪いのはすべて政府だと主張しているんです。

## 弱者を食い物にする紙面づくり

それにしてもおかしいのは、この女子高生が自分は不細工かもしれないと気づいたのはコロナの少し前という絶妙なタイミングだということです。記事にはこうあります。

「きっかけは中学生の頃、新型コロナの感染拡大が始まる半年ほど前だった。友達とプリントシール機で撮影をしたら､自分の顔だけが不細工に見えた。それから気になりだした」

それから半年後に新型コロナが始まって、政府がマスクの着用を訴えたわけだから、顔が隠れて好都合だったというのかと思ったら、違うんです。そのせいで彼女の悩みはますます深まったというんです。

「マスクに救われた一方、マスクが『義務』の世の中にならなければもっと早いうちにマスクを外す機会があり、ここまでコンプレックスは強まらなかったのでは……とも思う。『素顔がバレたら周りの人が離れていくのでは』と苦しむ必要もなかったかもしれない」

わかります？　政府がマスクを義務化したから、いよいよマスクがはずせなくなり、マスクを取ったらいじめられるかもしれないという不安が高まった。そして13日からマスクをしなくてもいいということになったせいで、彼女の悩みはまた深まったというんです。「自分だけマスクをしたまま取り残されるのではないか。顔のことで悩んでいるのは自分だけなのではないか、と孤独感と劣等感でいっぱいです」

要するに彼女の悩みっていうのは、マスクをしたほうがいいのかしないほうがいいのか、その時々によって変わる。それでも、悪いのは常に政府で、彼女の苦しみ悩みの源にはいつも政府の決定がある。政府が何を決定してもしなくても、彼女はそれについて悩む。それはすべて政府が何かを決定したせい、あるいは政府が何も決定しなかったせいだということになっています。

こんな女子高生が本当にいると思いますか？　この女子高生一人の悩みを救うために、政府は全国民にマスクの着用を永遠に義務付けるべきだとでも言うんでしょうか。めちゃくちゃな話でしょ。日本にはね、1億2000万人以上の人が住んでおるわけですよ。そしてその一人ひとりにそれぞれのお気持ちがあって、その誰もが喜んだり悲しんだり怒ったり笑ったりして生きている。その1億2000万人全員が納得する、全員がハッピーになれる決定なんて、誰にも下せないわけ。

一人として取り残してはいけないとか言う人がいるけれど、誰一人取り残さないためにはどうしたらいいかといえば、論理的には何もしないということしかあり得ない。どんな決定をしても、必ずそれに反発する人や、悲しんだり苦しんだりする人がいるからです。では何もしないとどうなるか。1億2000万人全員が不利益を被ることになります。

ハイ、朝日新聞のみなさん、あなたたちが求めているのはそういう世の中ですか。そうですか、そういう世の中なんですね。

ケチをつけたくてケチをつける。政府を批判したいから批判する。政府を批判するネタがなければネタを作る。だから、本当にいるのかいないのかもわからない女子高生をなぜか静岡から引っ張り出してきて、その気持ちに寄り添うふりをして政府の決定に難癖をつけてるんでしょ。だって、朝日はいつも、「虐げられ、苦しんでいる人、弱者に寄り添って、そういう人たちの声を代弁するんだ」みたいな主張しているくせに、この記事は違うじゃないですか。

まあ、自分の顔が不細工だと悩んでいるこの女子高生が実在すると仮定して、彼女に寄り添うつもりなら、彼女に希望を与える、自信をつけさせる方向に導いていくべきなんじゃありませんか。「顔を隠そうというのがおかしい、あなたがどんな顔であろうと、自分自身をありのままに受け入れるべきであって、自分の顔をマスクで隠したりしてごまかすべきではない」とか言ってあげるべきでしょう。

ところがこの朝日の記者は、彼女の悩みを解決するどころか、悩みを増幅させて政府批判に利用しているんです。つまり、弱者を食い物にして紙面を作っているんです。それが朝日の体質です。

だから、何か問題が起こって悩んだり困ったりした時、間違っても朝日に相談やタレコミをしてはいけません。記事に利用されるだけ利用されて、下手すると名前とか出されたあげくポイっと捨てられるだけです。

最後をこう締め括っているこの記事の悪質さからも、それはわかります。

「『いまの気持ちでは絶対にマスクを外せないので、考え方を改善しなければ……』。高校卒業後、自分のお金で美容整形することが夢だという」

結局、朝日は不細工な顔は整形するしかないという方向に読者を導いているわけです。だって、そういうストーリーになっているじゃないですか。

高校生がいた↓自分が不細工であることに気づいた↓それを隠すためにマスクをしたままでいたい↓高校を卒業したら整形しよう↓おしまい。

本当にそれでいいんですか。あなたの主観かなんだか知りませんが、紙面上でこの女の子が不細工だと認めて、美容整形するしかないとまとめちゃっていますが、それってあなた方がいつも批判しているルッキズムってやつじゃないですか。まずいでしょ。

もっと言わせてもらえば、「夢は美容整形の女子高生」ってタイトルも問題じゃないんですか。だって朝日は、性別を男と女で分けると、男女のどちらにも区分されたくない人たちを傷つけるからそういうことをしちゃいかんって常々言っているじゃないですか。

朝日はいつも場当たり的にスタンスを変えるから、今回みたいな話が出てくるんです。「ここにこんなブサイクな女子高生がいるのにマスクを外せなんて言ったらかわいそうじゃありませんか」って言ってるわけでしょ。それ、男子高生じゃダメなんですか。女子じゃないと話が盛りにくいと思ったからじゃないですか？　女っていうのは外見ばかり気にする生き物だっていう思い込みがあるからじゃないですか？

それはまさにやっちゃいけないことでしょ。朝日が敬愛するあの上野千鶴子先生は、女性に対して美人とか可愛いとか不細工とか言っちゃいけない、けなすのはもちろん、褒めるのもダメだって言っています。なぜなら女には評価軸が外見しかないから。でも、男に対してはイケメンとか素敵とかいくら言ってもいい。なぜかっていうと、男の評価軸っていうのは外見だけじゃなくて、地位とか年収とかいろいろあって、見てくれは男の価値のメインじゃないからだって。もうわけのわからないこと言うわけ。

そういうわけのわからなさが、まさに朝日のこういう記事に出ちゃうんじゃないかって私は思います。何か悩みがあっても朝日に相談しちゃいけない。朝日の記事は矛盾しているから信じちゃいけない。そうそう、朝日の書いている日本語を真似しちゃいけないってことですね。「解禁」の意味を知らない新聞社ですからね。

（2023年3月13日）

## 池上彰さんと〝人類最高の頭脳〟がウクライナ戦争を楽しく語り合った！

### すべてアングロサクソンのせいだ

今日はみなさんの大好きな池上彰さんの話をしたいと思います。実は私も大好きなんですけど、池上さん、何かちょっとメディアへの露出が減っているような気がしませんか。テレビには相変わらず出ているのかもしれませんが、私、テレビを見ないものですから、わからないんですよ。

で、今回ご紹介するのは、こちらも私の大大大好きな朝日新聞が出しております雑誌『AERA』の「池上彰『実は大変な状況にあるのはロシアより米国のほう』エマニュエル・トッドとのウクライナ戦争対談を振り返る」（2023年2月5日）という記事でございます。

冒頭にはこういうふうに書かれております。

「開戦から1年経っても、停戦への道筋が見えないウクライナ戦争。その背景や今後などについて、AERA 2023年2月27日号で歴史人口学者エマニュエル・トッドさんと意見を交わしたジャーナリスト・池上彰さん。この対談で何を思ったのか」

池上さんは、このトッドさんとの対談は「印象的な対話だった」と振り返っておるわけです。印象的だったことはいくつかあるらしくて、その一つが「トッドさんは以前からアングロサクソン、特に米国が諸悪の根源だとおっしゃったが、そこを改めて強調したということだ」。

ハイ、出ました。〝アメリカ諸悪の根源論〟です。しかし、いいんでしょうか。アングロサクソンという民族が諸悪の根源だと、はっきり特定しちゃっていますが、どう考えても、誰が聞いても、これは差別発言ではないかと思うのではないでしょうか。

だって、「アングロサクソン」という言葉を、他のナントカ民族と置き換えてみてください。「あらゆる悪は××人がもたらしたものだ」なんて発言したら、いや、これ差別でしょ。ナチスみたいじゃないですか。いくらなんでも問題でしょう。ところが、いいんです。あっち系の人は差別というものを非常に恣意的に解釈するので、「アングロサクソン」に対してなら何を言っても大丈夫、差別にはならないんです。

つまり、あっち系の人たちは「われわれが定めた差別概念に当てはまらないものは差別ではない」と言うわけ。彼らの定義によると、多数派とか、力を持っているいわゆる強者と言われる人に対しては、どれだけひどいことをいくら言っても、それは差別にはならんのです。

すべてアングロサクソンが悪いと発言しても、アングロサクソンは強者だからいいんです。この論法で行くと、たとえば日本では日本人が多数派でマジョリティで力を持っているから、それ以外の人に言うとヘイトだと騒がれることも、日本人についてはどれだけひどいことを言おうと、それは許されるんですよ。それが彼らの差別理論なんですね、ハイハイハイ。

池上さんとか朝日新聞とか、あっち系の人たちは、どうしてもアメリカが諸悪の根源だというところに行き着いちゃうんです。まぁ一種の病気ですね。このエマニュエル・トッドさんという人もその一味です。

では、その朝日のお仲間であるトッドさんという人はどういう人かというと、記事冒頭で紹介されていたように、「歴史人口学者」です。だけど、歴史人口学者って言われてもピンとこないし、あまりパッとしないじゃないですか。でもね、この方は単なる歴史人口学者じゃないんですよ。ＡＥＲＡが彼をどう呼んでいるかというと、別の記事の見出しには「人類最高の頭脳、エマニュエル・トッド」、また別の記事では「〝世界最高峰の知識人〟エマニュエル・トッド」となっています。

人類最高の頭脳ってあなた、いま人類どれぐらいいるんでしたっけ。えっと80億ぐらいでしたっけね。このエマニュエルおじさんが80億人の頂点に立っている頭脳なの？　え、誰がどんな基準で決めたの？　褒めておだてて奉るにもほどがあるってものでしょう。

そう言えば、一時期、本屋さんに行くと「知の巨人」ってふれこみの著者の本がやたらに置いてありましたね。それを見るたびに、巨神兵みたいな恰好をした〝知の巨人〟の団体が東京をのっしのっしと闊歩していたら面白いな～なんて想像して、吹き出しそうになったんですけどね。

でも、「知の巨人」って言葉、ちょっと使いすぎちゃってインパクトがなくなったから、

「人類最高の頭脳」とか「世界最高峰の知識人」とかね、とにかくどんどん盛っていけばいいや、みたいな感じですね。じゃあなんでこんなに朝日がトッドさんを持ち上げるのかっていうと、それには理由があるわけですよ。

まあ、私の本を買ってくださったりＹｏｕＴｕｂｅを見て下さったりするような賢い良い子のみなさんなら、ちょっと考えればわかることですが、要するに朝日の言いたいことをこのトッドさんが代わりに言ってくれるからです。朝日が言っても誰も信用しないけれど、「人類最高の頭脳」が言うことなら信憑性が違います。「ねっ、ホントなんですよ、信じるでしょ、信じますよね？」ってわけです。では、このトッドさんは朝日の代わりにどんなことを言っているのかというとですね。

ウクライナの戦争が始まって1年経ちましたけど、まだ終わりませんね。なんで終わらないんだ、早く終わってほしいってみんな思っているけれど、そこらの愚民の皆さんは戦争が終わらないのはどうせロシアのせいだと思ってるでしょ。でもね、それはねおバカさんの浅慮なんですよ、とトッドさんは言うわけ。人類最高の頭脳を持つ私が皆さんに本当のことを教えてあげましょう。悪いのはロシアじゃないんです。本当に悪いのはアメリカなんですよと、そう言うんですよ。

## 悲惨な戦争を賭けの対象にして盛り上がるな

諸悪の根源はアメリカだという主張については、今年２０２３年2月24日の朝日の社説でも取り上げています。ロシアがウクライナに侵攻して1年経ったがまだ戦争は終わらない。戦争は始まると終わらせるのが難しい。だから戦争を始めさせないことが重要なのだ。ではこの戦争を始めさせたのはいったい誰なのか、という文脈のあとにこう書かれているわけ。

「冷戦勝利に浮かれた西側の傲慢がロシア国内に反発を醸成したのではないか。人権弾圧を見過ごし、強権的なプーチン統治を許したのではないか」

西側諸国のせいでプーチンは戦争を始めてしまった。西側諸国というのはアメリカ、ヨーロッパ、それからアメリカの腰巾着みたいな日本を指しています。だからアメリカや日本が悪いんだって言っているわけです。

この朝日の論調とトッドさんの言い分はまったく同じだからこそ、朝日は「人類最高の頭脳」とか言って持ち上げるわけですが、そのトッドさんと対談をしている池上さんも、もちろん同じ。お二人は件のＡＥＲＡの対談でこのように語り合っています。

**池上**　トッドさんは昨年の段階から、「ウクライナ戦争の最大の責任は、ロシアやプーチン大統領ではなく米国とＮＡＴＯ（北大西洋条約機構）にあるとおっしゃっていますね。

**トッド**　この戦争は米国やＮＡＴＯの対応次第で、つまり「ウクライナの中立化」というロシアのかねての要請を西側が受け入れてさえいれば容易に避けることができました。軍事支援を通じてウクライナを事実上の加盟国にして、今も武器を提供しているＮＡＴＯと米国に戦争へと仕向けた直接的な責任があると考えています。

悪いのはロシアじゃなくてアメリカとＮＡＴＯなんだ、そうだそうだということで池上さんとトッドさんは意気投合しています。池上さんは対談を振り返って、こんなふうにも述べています。

「ロシアは危機的な状況なのではないか。そんな論調がほとんどの中、実は大変な状況にあるのは国民の間で分断が進む米国のほうなのだ」

ちょっと待って。それはアメリカにはいろんな問題があるでしょう。だけど、問題を抱えていない国なんて世界中どこを見たってありませんよ。アメリカにはアメリカの問題がありますよ、それはそうですよ。でもですよ、戦争を始めてしまって、周りの人がどんどん兵隊に取られて、死傷者数が20万人を超えていると言われているロシアよりも、アメリカのほうが危機的な状況にあると言うのは、さすがにそれは無理があるでしょう。良識ある人なら誰でもそう思いますよ。

にもかかわらず、なぜそう断言できるのか。その理由を、池上さんはこう語っています。

「例えば共和党の内部も分裂し、下院の議長が15回投票しないと決まらないような状況の中、トランプ前大統領は再登板を狙ってしゃしゃり出てくる。しかし、党内でもトランプさんについていこうという人はごく少ない。一方で、バイデン大統領は大丈夫かというと、自宅で見つかった機密文書の件や、自身の高齢化の問題（現在80歳）もある。米国自身が迷走し、危機的状況にあることが露呈している。米国のことも考えていかなければいけないということだろう」

いや、あなたがいま言っていることはむしろ、民主主義が機能しているということなんじゃないですか。民主主義の制度の特徴というのは、何かを決めるプロセスに時間がかかることでしょ。こうだと言う人もいれば、ああだって人もいて、なかなか合意に至らない。でも何度も話し合ってどうにか結論が出る。それが民主主義なわけですよ。リーダーもそうやって選ばれる。そうして時期がきたら、また新たなリーダーを決める。それが民主主義国家のやり方ですよ。

でもロシアは違うでしょ。核兵器も辞さないと言い出すプーさんを誰も止められないじゃないですか。それでも、「いや違う、共和党内部が分裂してトランプさんがまたしゃしゃり出てくるアメリカのほうがずっとヤバイ、危機的状況にあるんだ」っていうのが池上さんの主張であり、朝日さんの主張だということです。意味がわかりません。

だからこそ、トッドさんを持ち出すんですね。トッドさんってフランス人ですよ、日本人じゃない。日本語しゃべらないでしょ。いや、知らないけど、たぶんしゃべりませんよね。だから何語でインタビューしたか知らないけど、フランス語だか英語だかでしゃべらせて、それを翻訳しているわけです。翻訳というのは、実は、訳している側の思惑とか考えをいくらでもそこに紛れ込ませることができるんですよ。そういうことやる人、いるでしょ。だから、トッドさんの発言の端々に朝日イズムを織り込もうと思えばいくらでもできるんです。

しかも、日本人になじみのない外国人を引っ張り出してきて、「あれ？　トッドさん知らないの？　トットちゃんじゃないよ。人類最高の頭脳の持ち主だよ。その人が、今回の戦争で悪いのはロシアじゃなくてアメリカだって言っているんだから」って言って、信じさせようとする。

そのために、天まで届けとばかりトッドさんを持ち上げて、貧困なボキャブラリーを駆使して「人類最高の頭脳」とか「世界最高峰の知識人」とかいうキャッチフレーズをひねり出す。そう言うと何かすごい感じがするから、愚民どもは恐れ入って信用するだろうみたいなノリですよ、ハイハイハイハイ。

一方の池上さんも、日本における〝なんでもアメリカが悪い派〟の旗頭です。私も池上彰先生のご本はたくさん読みました。なぜなら大好きだから(笑)。先生はなぜか中東やイスラムに関する本もずいぶん書いています。

その中で彼はどんなことを主張しているかというとね、「イスラム過激派テロ組織のイスラム国を作ったのはアメリカなのです」と言うんです。本当にそう書いているの。本の引用そのままです。初めて読んだ時、「は？　何を言ってるの、この人」って驚きましたが、1冊だけじゃなくて、たくさんの本に同じ文章が何度も出てくるんです。何冊か読めばわかりますが、池上さんの本はコピペみたいな文章が多いんですね。

ほかに「アメリカは自らビン・ラディンという怪物を作り出してしまいました」とも書

いてありました。ビン・ラディンもアメリカが作ったということになっちゃうわけね。あと、こういうことも書いてある。

「要するにソ連とアメリカの身勝手な思惑によって、中東の大混乱が引き起こされたということです。とりわけアメリカの責任がいかに大きいかということが、これでわかるはずです」

池上さんによると、中東が混乱しているのもイスラム国の出現も当然アメリカのせいだし、ビン・ラディンを作り出したのはアメリカだから、あの9・11の同時多発テロも当然アメリカのせいで、ロシアがウクライナに侵攻したのもアメリカのせい、戦争がいまなお続いているのもアメリカのせい。なんでもかんでもぜーんぶアメリカのせいなんですねー。

そして、アメリカが諸悪の根源だと言う人は、必ずこの主張とセットで、アメリカは危機的状況にあるからもうすぐ滅ぶと付け加えるわけ。そういう人たちは、池上さんとトッドさんだけじゃなくて、世界中にたくさんいます。とくに、朝日新聞がしょっちゅう紙面に登場させる、朝日御用達のあっち系知識人と言われる人たちね。

その代表的な人物にノーム・チョムスキーがいます。この人は、アメリカはもうすぐ滅ぶともう何十年も言い続けているんですが、残念ながらなかなか滅びない。だから、まだ滅びないのはなぜかという説明にだんだん無理が出てきている。最近では「アメリカは運が良くて、たまたま生きながらえているだけだ。大丈夫、もうすぐ滅ぶ」ってすごく言い訳がましくなっています。

こういうかなり厳しい立場に追い込まれている人もいる中にあって、エマニュエル・トッドさんは、池上さんとの対談の中で、「私は5％ほどではありますが、米国が崩壊することもあると見ています」と語っています。その5という数字はどこからきたの、論拠は何なのって聞きたいところですが、とにかく人類最高の頭脳の持ち主によると、アメリカの滅ぶ可能性は5％くらいなんだそうです。なぜか知らないけど。

そして、「このウクライナ戦争はこの先10年は続く『10年戦争』になると言っています」という池上さんに、トッドさんは「私は5年だと思いますね」って答えています。私はムカーッとしましたね。あんたたち、二人で何盛り上がってるのよ。

ウクライナの人たちはある日突然、否応なく戦争に巻き込まれたわけでしょ。そんなもの1日も早く終わってほしいに決まっているじゃないですか。ある人は仕事をしながら、ある人は戦地に赴きながら、ある人たちは公務に励みながら、ウクライナ市民はみんなそれぞれ1日も早くこの状況から抜け出したいと願っているわけでしょ。

それをね、爆撃や砲撃とは無縁なところにいるおっさん二人が「戦争、10年は続くね」「いやぁ僕は5年だと思うな」って、何を賭け事みたいに予想しているんですか。馬鹿にするのも大概にしなさい。

「ウクライナの戦争について語り合いましょう」みたいなことを言いながら、この二人には戦争に苦しんでいる人たちのことは頭に1ミクロンもない。池上さんとかトッドさんみたいな、こういう反米あっち系〝知識人〟にとっては、悲惨な戦争もしょせんネタでしかありません。彼らが主張する反米イデオロギーのダシに使っているだけです。勝手な予想なんかしてるんじゃねーよ。

失礼、私としたことが、ちょっと言葉が乱暴だったかしら。無性に腹が立ったものでつい……。どうぞお許しください。


（2023年2月26日）

## 共同通信デスクの匿名ヘイト発言を新聞・テレビはなぜ報じないのか

今回はですね、私も「桜ういろう」の被害者の一人です、というお話です。

といっても、「桜ういろう」って何？　——という方もいらっしゃるでしょうが、2023年2月18日の『NEWSポストセブン』の記事をご紹介するのが、いちばん話が早いのではないかと思います。こちらですよ。ジャーン。

「独占　ツイッターでヘイト発言を繰り返していた『桜ういろう』は共同通信の記者だった」

本文は、以下のようになっています。

〈Twitter上で過激な発言を繰り返し、炎上を繰り返していたユーザーが大手メディア共同通信社の記者だったことが「週刊ポスト」の取材でわかった。

ユーザー名は「桜ういろう」。いわゆる〝左翼アカウント〟として、数年前からユーザーに認知されていた。フォロワーは1・6万人にのぼる（現在はアカウントごと削除）。作家の百田尚樹氏や有本香氏らの有識者に執拗に絡み、《【朗報】ホラノ門ニュース（編集部注：百田氏が出演していたニュース番組『真相深入り！虎ノ門ニュース』を指しているとみられる）の百田尚樹氏、やっと自分をサイコパスであることを自覚する。コバンザメの有本香氏もすかさず「『天才』は往々にして勝ち組サイコパス」とヨイショ！つーか、気付くの遅すぎ》

などと過激な投稿を繰り返していた。一般ユーザーに対しても《ネトウヨ（ネット右翼の略称）は知識が足りないなどと馬鹿にした言動が目立ち、問題視されていた》

というわけで、あの大手メディア共同通信の記者が「桜ういろう」を名乗って正体を隠し、一部の論客に個人攻撃を行っていたというわけです、ハイ。共産主義を批判した在日ウクライナ人のナザレンコ・アンドリーさんに対しても「レイシスト」呼ばわりし、ナザレンコさんの祖国を侮辱したうえ、個人情報を拡散するという悪逆非道を働いていました。ところで、この記事、タイトルに「独占」という文字が入っていますね。つまり『週刊ポスト』の独占という意味ですが、これってちょっとおかしくありませんか。何がおかしいかというとですね、こういうことです。

共同通信のような大手メディアに勤めている記者が、何か問題を起こした、あるいは何か悪いことをしていたという場合、一般企業で働いている人たちよりも大きく報じられるのが普通ですよね。最近だと、私が覚えているのは、ＴＢＳのディレクターがいけないモノを常用していたという事件が大々的に報じられてずいぶん叩かれました。

大手メディアの社員とか、あと警察関係者、自衛隊員、それに教職者とかですね、こういった職業の人たちが不祥事を起こすと、一般人以上に世間から批判されますよね。ところが、共同通信の記者だという、この「桜ういろう」の問題については……、あ、ういろう自体には何の罪もありませんが、この人がそう名乗っているのでやむをえず……。ういろう好きの皆さん、申し訳ありません。名古屋の皆さん、ごめんなさい。

さて、その「桜某」問題についてはどこのメディアも報じない。週刊ポストしか書かなかったんです。これって、すごく怖いことじゃありませんか。

だって、もし日本のメディアに大手マスコミしかなかったとしたら、この問題は隠蔽されて闇から闇に葬られていたわけですよ。怖いですね、恐ろしいですね。メディアが報道しないと決めたら、なかったことにされる。そういう恐ろしい世界があるんですよ。

事情がおわかりいただけたと思いますので話を戻しますと、私もこの「桜某」にズーッと嫌がらせをされてきた被害者の一人です。私は百田尚樹さんや有本香さんのような有名人ではありませんが、メディアがあまり報じないのなら、嫌がらせを受けた一般ユーザーの一人として、この共同通信の記者の非道さをみなさんにお伝えしたいと思ったわけです。

いつからかははっきり覚えていないんですけれど、タイに住んでいた頃だから、もう3年とか4年前ぐらい前ですよ。私が何かツイートするたびに、引用リツイートの形でしつこく悪口を書いてくるわけ。私はそういうのを見つけるとブロックすることにしていました。そうすれば、私の悪口を吹聴したり拡散したりできなくなるだろうと思っていたんです。

ところが、この桜某は別のアカウントで私のツイートをずっと監視していたわけ。そうして自分が気に入らない投稿を見つけたら、その画面をスクショに撮って、それを桜某のアカウントにアップして、それに私の悪口をつけてツイートする。そういうことをずーっと続けていたんです。

私はそのことを、知り合いとかツイッターのフォロワーさんたちから教えられて初めて知りました。まさかブロックした後もそんなことしているとは思わなかったから、すごく気持ち悪かったですよ。中でもキモかったのが、私の服まで調べられていたことです。

私も時々、自分の写真をツイッターに上げることがあるわけですよ。ある時、どこか外で撮った写真をちょっとアップしたら、監視していた桜某がその写真を別アカで見て、まずスクショに撮って、さらに私が着ている洋服の一部分をバーッと拡大して、それをさらにスクショした写真を載せたんです。そして、そのブランド名と、それがネットで売られている値段まで入れて、飯山陽というやつはこういういくらいくらのブランドの服を着て自慢していたんだって、そういうツイートをしていたんですよ。キモすぎるでしょ。ほとんどストーカーじゃないですか。異常ですよ。

　この人の得意技は、いろいろな人に対して執拗に「ネトウヨ」のレッテル貼りをすることです。私もやられましたが、こいつもネトウヨ、こいつもネトウヨとか言って変なハッシュタグを付ける活動をしているわけ。

　でも、ネトウヨって言ってもはっきりした定義もないし、共通認識みたいなものもとくにないんですが、桜某は今年の1月18日に、「ネトウヨさんは嘲笑されるべき恥ずかしい存在なのだから、それを可視化してあげる作業は必要なんだと思ってます」とツイートしています。いや、嘲笑されるべき恥ずかしい存在って、それはあんたのことでしょ。正体がバレたらアカウントを削除して逃げ出したことこそ、嘲笑されるべき恥ずかしい行為じゃないんですか。

　こいつは恥ずかしいネトウヨだ、あいつもそうだ、飯山陽もそうだってレッテル貼りされた中には、自分が知らないうちに悪い印象を広められ、悪評をたてられて、被害を受けている人たちがたくさんいます。これは単なる悪口じゃない。社会的信用を損ない、名誉毀損という実害を生じさせる犯罪行為です。

私に対して、この桜某は「飯山陽は自称研究者だ」「偽者だ」ってもう3年も4年も言い続けている。いや、桜某だけじゃなくて、世の中には私のことが嫌いで、ブロックしたにもかかわらず、桜某のようなストーカーまがいのことをする人が一定数いるわけ。私がいつも批判しているイスラム研究業界の人や、そこそこ有名なあっち系の人たちです。

このことについては『イスラム教再考』（扶桑社新書）にも書いているので、もし興味があればぜひ読んでいただきたいのですが、その人たちの常套句が「飯山陽は自称研究者」。自分で勝手に研究者を名乗っているだけだって、異口同音にそう言うわけです。

私は研究者として仕事をしています。たとえば大学で教えるときには、私はこれこれこういうところでこういう勉強と研究をしてきて、こういう論文を発表をしてきましたという履歴書を提出して、それが審査に通って初めて大学の教壇に立てる。別に学歴を詐称しているわけじゃないし、私の学位論文やその評価もネット上にいくらでも転がっているし、国立国会図書館でも読めるし、本も出しています。

にもかかわらず、桜某をはじめとする人たちが事実をまげ、デマを流し、誹謗中傷を繰り返すのは、人の社会的評価と信用を失わせる行為、はっきり言えば業務妨害です。私は仕事を失い、研究者としての生命を絶たれる可能性だってありえる。

桜某には1万6000人という結構な数のフォロワーがいたそうです。その桜某のお仲間がデマを拡散して、人の業務を妨害することには法的な問題が生じうる。私だけでなく、多くの一般ユーザーと有識者がその被害を受けたことになります。

どういうプロセスで桜某の正体が共同通信の記者だとわかったのかは知りませんが、週刊ポストが追い詰めていく過程で桜某は自分のツイートに鍵をかけ、これまで自分が散々やってきた他者の社会的信用を毀損するツイートをすべて消し、アカウントを削除してトンズラした。ということは、自分がしていることはやってはいけないこと、恥ずかしい行為だという自覚があったことになります。

ツイッターのようなSNSを匿名アカウントでやること自体については、私はとくに悪いとは思いません。私は実名を出して、自分はこういう人間です、自分の発言に責任を持ちます、文句があるなら直接言ってこい路線でやってますけど、別に匿名でやってもかまわない。でも、人を陥れるのはもちろん、もし身バレしたら自分の社会的地位まで失うような投稿は、たとえ匿名アカウントでもしちゃいけない。それが守るべきルールなはずです。SNSというのは公共の場だから、たとえ匿名であっても、そこに書き込まれることは活字や電波のメディアと同等の責任を負うべきものです。

それを桜某は自分が大手メディアに勤めていながら、そういう注意喚起をすべき立場にありながら、SNSを悪用し、ルールに抵触するような、社会規範から逸脱した、他人の権利を侵害する書き込みをずっと続けてきたわけでしょ。

共同通信の名古屋支社で社会部のデスクとして働いていたらしいけれど、勤務時間中にこういうことをしていたのなら、共同通信社はどう対処するつもりなのでしょう。この件について全く報道しない共同通信以外の大手メディアはどう考えているのか。こんなのたいした話じゃないから報じる価値はないと思っているのか。あるいはあまり騒ぎ立てると自分たちにとっても都合が悪いから無視しているのか。それとも同業者として共同さんをかばっているのか。

『NEWSポストセブン』の記事によると、10日間の自宅待機を命じられたらしいけれど、それで終わりなのでしょうか。その後は何ごともなかったように大手通信社のデスク様として勤務し続けるのかもしれませんが、こういう人はほとぼりが冷めたと思ったらまた別の匿名アカウントを作って、また嫌がらせを始めるに決まっています。

共同通信社会部ってそんなに暇な部署なんですか。そもそも通信社というのは他のメディアに情報や記事を売るのが仕事でしょ。自らメディアとして日本の一般国民の皆さんに情報を伝えることもありますけど、日本の全国津々浦々、および海外に支社や特派員を置く余裕がない多くのメディアに対して、共同が取材した情報を配信しています。その情報量たるや、とてつもなく膨大なものですよ。

そういう立場にありながら、というよりその立場を利用して、バリバリに偏向した記事と情報を全国に流しているのが共同通信という会社です。客観的事実というよりも、共同通信の記者のお気持ちとかイデオロギーを平気で配信している。だから、政治的に偏向した、なんじゃこりゃって記事だらけですよ。

私は日頃から、共同通信を公明正大に批判している人間の一人なんでございますが、まさか業務中に、匿名アカウントで、自分の偏向した考えと相容れない人間に対して、ストーカーまがいの誹謗中傷に没頭している社員が、デスクに納まり返っているとは思いもよりませんでした。さすが共同通信です。

桜某と共同通信の所業、それに目をつぶる他のマスコミに対して、私たちはネットなどを通して声を上げなければなりません。私のささやかな告発が、少しでも多くの方々の耳に届けば本望です。

（２０２３年２月20日）

# 大学教員の立場から三浦瑠麗氏の〝論文〟を採点してみました

## 論文ではなく感想文であるという理由

私、テレビをほとんど見ないので、テレビでどういう人が活躍しているのかあまり知らないのですが、ネットやツイッターなんかで、この人がいま人気なのか、この人はこういうことを言っているのかという知識を仕入れているわけでございます。

そんなわけで、いま何かと話題の三浦瑠麗さんも知っておりますし、国際政治学者でいらっしゃることも承知しておりました。

しかも私、三浦さんがご自身の博士論文を元にして出版された本とかね、ほかにも三浦さんが書かれたご本を何冊か読んでおるんですよ。イスラムとか中東に関してなぜか突如言及する、いわゆる有名人と呼ばれる方々が結構いらっしゃるので、そのサンプルの一つとして読んだわけですけれども、三浦瑠麗さんが国際政治学者として世に出るきっかけになった「『日本の国際貢献のあり方』を考える」という論文がネットで公開されていて、誰でも見ることができるということを知ったので、今回ちょっとのぞいてみることにしたと、こういうわけでございます。

私、一応、研究者の端くれというか、大学教員の端くれでございますので、やっぱり論文と言われるとついスイッチが入るわけですよ。でね、三浦さんが一躍出世するきっかけになった論文というのは、自由民主党主催の第1回・国際政治外交論文コンテストで自民党総裁賞を受賞したんだそうです。すごいですね。しかも大学4年生の時の論文だそうです。学生の身で日本の国際貢献のあり方を考え、それで自民党総裁賞を受賞したって、超キラキラじゃないですか。

私はもともと文献研究者なので、文章を読む時にはその論理構造を把握して、それで内容を理解するというふうに頭が出来上がっておるわけですよ。なので、論理構造が取れないと、内容が理解できません。論理が破綻している、もしくは論理がない場合は、当然ながら、論理を把握できないので文章の意味がわからない。したがって読み進めるのに非常に困難を感じるわけです。まあ職業病みたいなものですね。

そういう意味で、自民党総裁賞を受賞したこの三浦瑠麗さんの論文を読むのは非常な困難を伴いました。

私がまず申し上げたいのは、どんな文章でもそうですけれど、文章というものは、書かれている内容によって評価されるのが基本だということです。その一方で、内容以前の問題というのもある。それは何かといえば形式です。論文というならば、論文としての形式というものが必ずあるわけです。

たとえば、私たちは小学校の時に原稿用紙の使い方を習いますよね。原稿用紙に書く際には決められたルールがあるということを教わって、それから、じゃあ読書感想文を書いてみましょうということになって、タイトルはここに、名前はここに書くんだよ、読みやすいように段落を作ろうね、といったことを勉強しますよね。これも形式です。

それに、私たちは小学校1年生から、国語の授業でひらがな、カタカナ、正しい「てにをは」の使い方、漢字の読み方、書き方、正しい使い方、それに文章の構成の仕方といったものをいちいち勉強しますよね。

それはなぜかっていうと、日本で生活していくうえで、私たちは日本語の文章を書かなければいけない場面に必ず遭遇するからです。私のように文章を書くことを仕事としている人間だけじゃなくて、ビジネスマンでも企画書や報告書を提出する必要があったりします。だから内容以前の話として、きちんとした形式で、正しい日本語を使って文章を書けるようにするために国語の時間でいろんな勉強をするわけです。

そういうことを前提に考えると、論文である以上は論文の形式をとっていなければならないわけですが、その観点から三浦さんの論文を読むと、まず彼女の文章は論文の体裁をなしていませんでした。「論文の体裁」といっても、それほど難しいことではありません。論文のテーマについて、客観的事実に基づいて自分の意見を述べるという、ごく当たり前のことです。

三浦さんの論文のテーマは「日本の国際貢献のあり方」です。ご自分で選んだテーマなのか、あるいは課題だったのかはともかく、であれば、まず日本の国際貢献について客観的な事実を提示して、その上で自論を展開する必要があります。論文にいかに説得力を持たせるかの決め手となるのは、その事実の積み重ねなんです。これこれこういう事実がある、だから私はこのように考える。これが論文の体裁を形作る大前提、超基本なわけです。ところが、三浦さんのこの論文には客観的事実というものがほとんど書かれていません。つまり、論文の体をなしていないということです。事実を提示しないで、意見だけを言っているわけですから、体裁として論文ではないと言うことができます。

そういうことを言うと、お前が言っているのは学術論文のことだろうと反論する人がいるんですが、学術論文であろうとこういう懸賞論文であろうと論文は論文ですから、自分の意見の裏打ちとなる客観的事実が積み重ねられて初めて、説得力ある形で自論を提示できるという点においては変わらないわけです。

これはあくまでも一般論ですよ。いや、研究者である私から見たらまったく論文の体をなしていないものがご大層な賞を受けるという評価軸が、世の中に存在することは私だって知っています。それを別に否定はしないし、実際に三浦瑠麗さんはこの論文でご立派な賞をいただいて世に出られたわけですから、ハイ、わかっております。私ももう長いこと社会人やってますので。世の中というのはそういうものでございます、ハイハイハイハイ。

それでですね、彼女の文章は論文の体裁をなしていないと私、申し上げました。では、この文章は何なのかというと、これは一般には「感想文」と言われるものです。

たとえば、1行目からいきなり「国際貢献とは日本の生き様を示す舞台でなければならない」という小見出しから始まります。そして2パラグラフ目。「思うに、日本の国際貢献のあり方を考えることは……」。これね、私もたくさん論文書いてきましたけど、「思うに」というのは論文で使っちゃいけない言葉ですね、ハイ。「思うに……である」という文章は通常、論文では考えられないことです。なんの証拠も、事実の裏付けもなく「……だと思います」と語るのは「あくまで個人の感想です」というやつですね。

客観的な裏付けがないということは、他の文献からの引用とか脚注とか校注とかいったものが一つもないということです。これは極めて問題なんですね。なぜかというと、この三浦さんの文章には「思うに」とか「……だと思う」「……である」「……に違いない」とか何度も出てくるんですけど、こういう言葉を使うと、それが彼女独自の完全にオリジナルな意見なのか、それともほかの誰かがどこかで言ったことを自分の意見であるかのように語っているのかが、読む側にはわからないわけですよ。

通常、論文を書く際には、たとえば、ある資料にはこのように記されていると言及して、それに注を付けて出典を明記する。そしてそれを考慮したうえで、自分はこう考えるというふうに自説を述べるのが普通です。ところが彼女の文章にはその前段がない。誰々がここでこういうことを言ったとか、こういう調査でこういう結果が出ているとか、そういう記述がいっさいありません。だから、参考文献とか出典とかが一つも示されていないんです。これはけっこう恐ろしいことなんですよ。

彼女はこう書いています。

「国際貢献の究極の目的は、国際社会の住人としてその責任を果たすことであり、日本の信じる正義を実現することである」

これは「国際貢献の究極の目的」とはどういうものかということを彼女なりに定義付けようとした文章だと思われます。ところが、この文章の意味がよくわからない。「国際貢献の究極の目的は」が主語の部分ですね。それを受ける述語が「責任を果たすことである」ではなくて、「ことであり」になっていて、「日本の信じる正義を実現すること」につながっている。これ、おかしいでしょ。主語の部分と述語の部分が対応していないですよね。

国際貢献とはなんぞやと話を始めておいて、途中から日本の話になっちゃっているわけ。国際貢献全般の話をしているのか日本限定の話をしているのか、どちらかにしないといけないのに、話がズレてしまっている。日本語として崩壊してしまっています。こういう文章が続くので、読むのが非常に難しかったわけです。

定義の意味が不明なだけじゃなくて、問題は、この〝定義〟が本当に三浦さんの完全なるオリジナルなのかということです。これは研究者なら誰でもわかると思うんですけれど、ある語句や概念といったものについて、これはこうであると定義することはなかなかできない。非常に大それたことなんです。大学4年生くらいでは絶対と言っていいほど不可能なことなんです。なぜそう言えるのか。

論文を書くにはいくつものルールがあるわけですが、その一つに、これまで積み上げられてきた研究を前提としなければならないということがあります。たとえば「国際貢献のあり方」というテーマについても、これまでに数えきれないほどの研究者がそれについて膨大な論文を残しているわけです。日本に限らず、世界に目を向けたらもう目がくらむほど無数の文献、論文、研究資料が存在します。

若い学徒、とくに学部生が、あるテーマについて論文を書こうとしたら、まず何をしなきゃいけないかっていうと、そのテーマについて過去の人たちが一体どれだけどんな研究をしてきたのか、可能な限り文献を集めて、そのすべてを読まなければいけません。そうでないと自分の論文は書けないんですよ。それがルールなの。

何かについて書くときは過去の文献を全部しらみ潰しに調べる、文献を取り寄せる、読む、そこに書いてある定義を検討する。そういったことをまずぜーんぶやって、それで初めて自分の論文を書けるわけですよ。

あなたが言っていることは、もう別の人がいついつどこどこで言っているじゃん、この人もあの人も言っているよ、まるであなたのオリジナルであるかのように書いている文章、こういう人がここですでに書いているじゃん、みたいなことが絶対にあってはならないから、しらみ潰しに調べる。それが論文のルール、論文を書く者の義務なんです。

三浦瑠麗さんはそれをやっていない。もしかしたらやったのかもしれないけど、だとしたらそれを明示しなきゃいけないわけ。つまり彼女の定義と思しきものは、一体どこから着想を得たのかを書かなければいけない。

もしこれが本当に彼女の完全にオリジナルな〝定義〟なんだとしても、そう定義するに至った理由、客観的な裏付けとなる事実が必要になります。だけど、それもない。そうなると、彼女の言う定義らしきものは、誰かがどこかで書いたものを、全部とは言わないまでもその一部を借用した可能性がある。その基となった論文なり文献なり資料なりに言及しないで、自分のものとして発表するのは剽窃（ひょうせつ）に当たります。となると、採点するとしても0点というより、マイナス点、ペナルティですよ。つまり、彼女が書いたのは論文ではなく、感想文であると、こういうことになります。

## それが浮世というものさ

彼女の文章をよりわかりにくくしているのは、文章の端々に散りばめられた意味不明な語句です。たとえば、さっき言ったように「国際貢献とは日本の生き様を示す舞台でなければならない」という小見出しがいきなり出てきますが、「日本の生き様」って、一体なんのこと？

「日本の生き様」とは、こうこうこういう理由で、このような意味で用いているという説明はとくにありません。気になるのでずっと読んでいくと、「これが日本の生き様である」みたいなことが書いてある文章が出てきます。以下の部分です。

「日本は、アジアの諸国家の中で最初に近代化を成し遂げ、戦後は、平和主義の理想を高く掲げつつ世界有数の経済大国・技術大国となった。日本は、世界一の長寿国であり、世界一安全な国である」

日本が「世界一安全な国である」ことを示す証拠とかデータはどこにも書かれていません。彼女がそう言っているだけです。

「世界に誇れる独特の伝統を保持しつつ、世界にも例を見ない美しい国土を持った国である」

確かに日本は美しいですよ。とても美しい国です。だけど、世界には日本以外にも美しい国はたくさんあります。ですが、彼女はとくにこれという理由も示さず、とにかく世界に例を見ない美しい国土を持った国であると書くわけです。

「我々日本人は、国際社会においては、まさにジャパニーズ・ドリームの体現者であることをまず自覚すべきである。その上で、どのように具体的な国際貢献をなし得るか考えてみるべきであり、国際貢献とは、日本の生き様を国際社会に示す舞台でなければならない」

皆様、意味わかりましたかー。もしわかった方がいらっしゃったら、ぜひ解説していただきたいですねー。私にはまったく意味がわかりません。

ただ、論文コンテストを主催した自民党とか自民党支持者、いわゆる保守層の人が泣いて喜びそうな語句があちこちに用いられていることはわかります。

「日本は、アジアの諸国家の中で最初に近代化を成し遂げ」とか「平和主義の理想を高く掲げ」とか「世界にも例を見ない美しい国である」といったキラキラワードがあちこちに散りばめられている。散りばめられているんだけど、全体としては意味不明。これが彼女の文章の特徴でございます。

それでもどうにか意味を取ろうとすると、こういうことではないかと思われます。

とにかく日本は素晴らしい国だという自信を、日本人は持たなければいけない。「日本の生き様」に自信を持てと、彼女に成り代わって考えてみると、たぶんそういうことなんですね。そのうえで具体的な国際貢献について考えよう。だから国際貢献とは日本の生き様を国際社会に示す舞台だということになるわけですよ。

あれ？　理解したつもりでいたんですけど、またわからなくなっちゃった。要するに、日本の生き様に自信を持ったうえで日本の生き様を国際社会に示すことが国際貢献だということですね。つまり内容は――ない！　一人よがりというか、どう頑張って理解しようとしても中身はゼロだということです。

それから、先ほど引用した「その上で、どのように具体的な国際貢献をなし得るか考えてみるべきであり、国際貢献とは、日本の生き様を国際社会に示す舞台でなければならない」という文章も、主語となるものが前半と後半で変わっちゃっています。これは日本語としてアウトな文章です。日本語が崩壊しているということですね。

でも、もっとすごいのがいっぱいあるんですよ。日本語が崩壊しているだけでなく、誤字脱字が、この短い文章の中にものすごく出てくる。たとえば傍線の部分です。

〈日本の理想に共鳴する人々を増やしていく作業がうまくいったとはお世辞にも言えないだろう。日本の理想を掲げた国際貢献策を推進していくことは、「日本はいい国だなあ。」と言う一種の素朴な感情の基づいている。日本人としては、素朴な愛国心を持つことは重

要でなことであり、自然なことである〉

日本語として考えられないほど杜撰（ずさん）な文章ですね。ほかにもこういう箇所があります。「農業が環境に対して果たしているいわゆう〝多面的機能〟を尊重すべきこと」、「農業問題意外についても」、「他国に対して優越的な地位を主張したり、、」。

これ、絶対に推敲していないでしょ。あなた、真面目にやってるの、提出するなら一度くらい文章を見直そうよって話ですよ。及第点にはほど遠いどころか、やり直しのレベルです。小学校の国語の授業をちゃんと聞いていたんですか。

皆さん、お気づきになったと思いますが、彼女の〝論文〟の中身について、私はここまでひと言も言及していません。通常、文章とは書かれている内容によって評価されるべきものです。ところが、評価以前の問題として、先ほどお話ししたように、文章は定められた形式を備えている必要があります。彼女の〝論文〟はその形式の点でそもそも問題がありすぎるというわけですね。

まず、論文の体裁をとっていないこと。第二点、これは論文ではなくて感想文である。第三点は、出典も文献も明らかにされていないので、彼女の独自の見解なのか、他人の見解を引いているのか判断できない。第四は定義不明なまま多くの語句が用いられていること。第五は日本語の文章が崩壊している。

すべて形式の問題ですよ。だから論文としてダメというより、感想文としても落第ということです。中身はいっそう意味不明なわけですが、それでも、どんなことが書いてあるかを知りたい方のためにちょっとだけ触れておくと、なんの裏付けもなく、いきなりこういったことが書かれています。

「必ずしも自覚されていないが、これらの2ヶ国に対して最大の影響力を有するのが他ならぬ日本なのである」

ちなみに「これらの2ヶ国」というのは中国とアメリカのことですが……えーっ！　米中に対して日本が最大の影響力を持っているって、いきなり結論付けちゃっていいの？　どうして断言できるの？　――って話ですよね。

しかも「必ずしも自覚されていないが」というのは、「あなたたち知らないかもしれないから私が教えてあげる」ってことですよね。これを誰が言っているかというと、農学部の学部生ですよ。いったいその論拠はどこにあるの？　どんな根拠があるのか教えてよって普通、聞きたくなりますよね。それを示さないから、単なる感想文なわけです。要するに内容は検討するに値しない、以上。――ということになります。

ここからはあくまで性格の悪い私の個人的な感想ですが、これは自民党主催の懸賞論文用ですから、三浦瑠麗さんはこの文章を自民党に向けて書いているんです。つまり彼女は、自民党の皆さんに対してこう言っているわけですよ。

「あなたたち、こういうこと聞きたいでしょ。日本は美しい国、日本は世界一、日本は類まれなる国、そういう言葉を聞きたくてウズウズしているでしょ。聞いていい気分になりたいでしょ。だから私が言ってあげる。さあ、お聞きなさい」

結局は、そういう文章ですよ。ここにあるのは、こういうことを言えば喜ぶんでしょっていう打算と、それから媚びへつらいですね、ほぼそれだけです。それに加えて、なぜか異様なまでの上から目線。こういったものだけで出来ている文章です。

しかし、私から見れば論文として不合格、やり直しを命じるレベルのこの文章が、現実には総裁賞を受賞し、三浦さんは国際政治学者として華々しくデビューされ、大活躍なさっていたわけです。これが世の中というものなんですねー。文章の評価、論文の評価、人物の評価、そういったものは客観的な評価とは言い難い場合が、世の中にはしばしばあるということですねー。怖いですね、恐ろしいですねー。

皆さんも人生でいろいろな経験をされて、時には大変な思いをされてきたのではありませんか。中には、「なぜあんなやつが評価されて……」などと不遇をかこっていらっしゃる方もおありでしょう。ですが、不公平な世の中であっても、見る人はちゃんと見ている、そういうポジティブ思考で前向きに生きていっていただきたいと、切に願う次第です。

実力以上にちやほやされていた人が突然つまずいて、ある日を境にマスコミから消える、なんてこともよくあります。それもまた、浮世というものでございます、ハイ。

（2023年1月22日）

# 第3章

# フェミニズムとLGBTは相性サイアク

# 男子校の中学生が女子大生に何を「教わる」って？

## 「女性優位」の思想教育

今回は私の大好きな朝日新聞の「異性がいないからできる、偏ること　男子校の生徒が女子大で考えた」っていうタイトルの記事（2023年3月6日）をご紹介したいと思います。

タイトルだけではまったくわかりませんが、内容は「男子校の中学生が、女子大生とともにジェンダーや無意識の偏見について学ぶ授業が東京都内で開かれた」というものです。実に気持ち悪い設定ですね。

タイトルのすぐ下に添えられた写真を見ると、数人ずつ班になって座っている男子中学生に、女子大生のお姉さんが話しかけています。「お姉さんが教えてあげる」もしくは「綺麗なお姉さんは好きですか」設定のようです。

記事はこんなふうに始まります。

「男女別学って必要？　男女で職業が偏ると、どんな問題がある？　男子校の中学生が、女子大学生とともにジェンダーや無意識の偏見について学ぶ授業が（２０２３年）2月、東京都内であった。２０２１年から毎年1回開かれ、今年は最終回となる3回目。生徒たちにとっては、自らの内なる思い込みを考え直す機会になったようだ」

ということは、この「お姉さんが教えてあげる」企画は、性というのは男と女の二つしかないというのが前提になっているわけです。ただ、それを単純に男と女に分けるだけじゃなくて、男のほうはうら若き男子中学生に限定している。つまり、「まだジェンダーについて無知で愚かで、女性に対して偏見を持っている存在」という設定です。一方、女のほうは賢い進歩的な女子大生で、そのお姉さんが正しいジェンダー意識を教えてあげるという役割です。実に気持ち悪いですね。

この男子中学生、どこの学校の生徒なのか、ちょっと気になりますよねぇ。発表します。この無知で偏見だらけだということになっている男子中学生は、私立駒場東邦中学の生徒です！（パチパチパチ）いや、これ、けっこう難関の名門校ですよね。その名門校の3年生約２４０人に対して、「私たちが正しいジェンダー意識を教えてあげるわよー」と名乗り出たのはどこの女子大生かというと、ジャーン！　昭和女子大に通っている女子大生なんですね……なるほど、なるほど。

ただね、この企画自体が、この世の人間は必ず男か女かのどちらかであるという性別二元論に基づいていて、さらに男女の分断を強化して両者を対立させる構図になっているんですよ。これロールプレイ（役割演技）でしょ。若い男子は無知で、年上の女子は知的で開明的で進歩的であるという役割を与えられているわけ。つまり性別二元論をいっそう強化するような企画になっているというのがそもそもおかしいでしょ。

それに加えて、年上のお姉さんが年下の男子に教えてあげるという日本的なコテコテの性別役割分担は、見方を変えるとこれまでの日本社会にあった男女の立場を逆転させているだけと見ることができます。

つまり、日本は年長の男性が若い女性を上から見下ろして物を教える男性優位社会だった、それが従来の日本の社会のあり方だったと言われています。この企画は単に、その立場を逆転させただけです。

でも、それって男女平等とは全く方向性が逆じゃありませんか。これからは男性優位ではなく、女性優位に方向転換するんだという逆転イデオロギーを教え込んでいるだけで、全然男女平等の議論になっていない。

男女平等を目指しているはずなのに、男子のほうは何も意見を言っちゃいけない役割を押し付けられている。おそらくこの駒東の男子の中には、自分らは一方的にバカの立場で、近所の女子大のお姉さんたちは知者の立場でモノを言うのはおかしくないかって思った生徒もきっといたはずですよ。

でも、この場でその疑問を口にしたり、このロールプレイを批判したりすることはおそらくできなかったんじゃないかと思う。この〝場〟そのものが権力として作用しているから、そこで与えられた役割に異論をはさむことは難しかったんじゃないでしょうか。でもね、それこそがまさに、これまでの社会の問題だったわけです。

お前は女だからお茶汲みでもしていろとか、女のくせに楯突くなとか、そういう考え方が問題だったんじゃないの？　にもかかわらず、女にそう言うのはダメだけど、年の若い男になら言ってもかまわない。お前らバカなんだから口答えするな、言うことを聞け、こちらがすべて正しいんだから、言うとおりにしろって、それ思想教育でしょ。

実際、この授業を受けた駒東の男子の一人が、朝日新聞のインタビューにこのように答えています。

「授業を受けていなかったら、今でも偏見を持ち、視野が狭くなっていたと思う。ジェンダーについては、以前はピンと来なかった。女性専用車両を見てなぜ女性だけと思ったこともある。しかし、授業を受けるようになって、車両がある意味を考えるようになった。後輩たちにも、こういった授業を受けてほしい」

私も、女性専用車両はあるのになぜ男性専用車両はないんだろうと常日頃から思っております。朝、電車に乗ると、女性専用車両ってやっぱり空いてるわけ。ほかの車両がすごく混んでいるのに、端っこにある女性専用車両だけみんな座れるんですよ。おかしくないですか。しかも、たまに朝早く乗ると酔っ払ったおじさんとかが、おそらく女性専用車両って全然気づかないで乗ってきてドーンと座って眠り込んじゃったりするんです。いや、それはまた別の問題なんですけど、そういうおじさんが眠れる男性専用車両もあっていいと思うし。

だけど、この男子は、昭和女子大のお姉さんにいろいろ教わったおかげで女性専用車両がある意味を考えるようになったと言う。でもそれって、いまある社会の形を受け入れているだけじゃん。そこには何の反骨精神もない。これが正しいんだって言われたことを鵜呑みにしちゃいけません。クリティカルシンキングって言葉を知ってますか？　聞いたこと、教わったこと、読んだことを批判的に考え直すことです。授業だってそう。むしろ、おかしいと思う点を追求すべきだよ、駒東の少年たちよ。そうやってみんな大きくなるんだよーっ。

## 男と女しかないと発言して教室を追い出された小学生

この「お姉さんが教えてあげる」企画は今回で3回目ということだけど、朝日はたぶんこれ、毎年記事にしているはず。去年の今頃も見た記憶があるし、一昨年も見た記憶があるの。ということは、朝日はこの企画に共感し、賛同していることになります。これ、おかしいでしょ。

だって朝日は常々、性というのは二つじゃないって言っているわけ。男性と女性の二つに分けてはダメだ、なぜなら性は多様だからだ、というふうに言っておるのよ。

朝日には男女で性を分けちゃいけないという記事が多いんだけれど、たとえば「男女で分けるものを避けてきた　履歴書を自作した男性の葛藤」（２０２３年2月26日）って記事。これにこういうふうに書いてあるわけ。

「書類や調査などで性別の記入を求められる『性別欄』について、普段、意識していますか。性で分類されることにより、苦しみ、困る人がいます」

そうだよね、「性で分類されることによって苦しみ、困る人がいる」んだよね。じゃあ、なぜ「男子校生と女子大生で考えた」って記事を載せるの？　おかしいでしょうよ。男子か女子かで分けちゃいけないんでしょ。性別っていうのは、その人の見た目とか、どこに属しているか、あるいはどういうふうに育てられたかによって外の人が勝手に判断しちゃいけないいんでしょ。

だったら、駒東って男子校だけど、心の中では違う性を持っている生徒だっているはずでしょ。昭和女子大の女子大生だって心の中はわかりませんよ。それを、お前は男子校の生徒だから男子、女子大に入ったんだから女子って決めつけちゃいけないって、あなた方はいつも言ってるじゃありませんか。矛盾してませんか。

イギリスに性の多様性について授業をやっている小学校があって、トランスジェンダーの人が当事者として講義した時、子供に向かって「セクシュアリティというのは73あります」って言ったら、「先生違います。性には男と女しかありません」と反論した生徒がいたのね。そうしたらトランスの講師が、「あなたは私を怒らせたね」って言って、その生徒を教室から追い出したというんです。それがいま問題になっているんですよ。

じゃあ仮にセクシュアリティが73あるという説を受け入れるとしたら、男と女のほかに71の性があることになる。そのすべてを考慮しなかったら即、性差別につながるんじゃありませんか。

だから私、前々から言っているんだけど、性の多様性を認めろという話と男女平等とは別もので、むしろ対極にあると言ってもいい。だから男女平等を目指すんだったら、性の多様性をいったん諦めないといけないと思う。

なぜなら、男女平等の世の中というのは男と女しかいないことを前提とした制度改革だから、すべての人に「あなたは女？」「あなた男？」って聞いて回ることからしか話が始まらないわけ。そうやって男女平等を実現しようとすると、じゃあ残りの71の属性の人はどうするんですか、のけ者ですか？　それって差別じゃないですかってことになっちゃいますよね。

たとえば国でやっている男女共同参画基本計画というのがあるでしょ。いま第５次とかやっていますよね。これも世の中には女と男しかいないことが前提になっています。それから世界経済フォーラムがやっている「グローバル・ジェンダー・ギャップ・レポート」も、いろんな調査に基づいて男と女の格差を数値化したものです。これも調査対象を男か女かの二つに分けることから始まっているんですよ。

だけど朝日は「あなたは男ですか、それとも女ですか？」って聞くこと自体が差別で、

「性で分類されることにより、苦しみ、困る人がいます」って言う。にもかかわらず、一方で男女は平等でなければいけないって言っている。もうごちゃごちゃになって大混乱しているわけ。

それは国も同じ。性の多様性や性の自認を尊重しようとかいう方向に行きつつ、第5次男女共同参画基本計画を進めるのは矛盾しています。いやいや残り71の属性の人たちは共同参画させなくていいのかって話になっちゃうでしょ。

それからほら、クオータ制を導入しろって言っている人たちがいますよね。これは、たとえば女性議員が少ないから、男女比率を割り当てて議会における男女間格差を是正せよという、いわゆるポジティブアクションの一つ。積極的な男女差別の是正ですね。

でも、性の多様性を前提にしたらそれ、成り立ちませんよ。どうしてもクオータ制をやるんだったら、73の属性一つ一つに割り当てるべきでしょ。どうやって比率を決めたらいいんですか。「男女比率か、じゃあ男7、女3でどう？」みたいな大雑把な分け方はできませんよ。

だから、性の多様性と男女平等という相矛盾することを同時進行でやっても混乱するだけです。朝日新聞はそうやって社会が混乱するのを見て大喜びしているんでしょうけど、政治家と健全な国民のみなさんには、そのことをよく考えていただきたいと、こう思うわけでございます。

（2023年3月5日）

# 「女子は赤、男子は黒」は差別だ！　と叫ぶ反社会性

## たかがランドセル、されどランドセル

最近は、小学校へ入学する新1年生にランドセルを無償配布する自治体が増えているんだそうです。ウチはこんなに教育に力を入れています、子育てのしやすい市です（町です）、ぜひ引っ越してきてくださいというわけでね、ランドセルを配っているのを売りにしている自治体がけっこうあるらしいんですが、たかがランドセル、されどランドセル。こんなところにもあっち系の人たちの罠は潜んでいるというのが、今回のお話です。

ご紹介するのは「女子は赤、男子は黒→キャメルに統一　無償配布のランドセルに変化」という朝日新聞（2023年2月9日）の記事。冒頭にこう書かれています。

「市町村の3割がランドセルを無償配布している茨城県内で、ランドセルの色を統一した

り、3種類以上の色から選べるようにしたりする自治体が増えている。いずれも、ジェンダー平等や性的マイノリティーへの配慮からだという」

ウチにも小学生の娘がいるのでよく知っていますが、1年生から6年生まで、ランドセルの色はそれこそ多種多様です。赤いのも黒いのも、みんな好きな色のランドセルを背負って歩いていいます。ところが、市町村が無料で配っているランドセルの色が男女で分かれているのはよくない、これは差別だというんですね。その理由を、記事ではこう語っています。

「茨城は全国でも珍しく、全44市町村のうち15市町がランドセルを無料配布している（2022年7月時点）。そうでなければ、各家庭が好きな色のランドセルを買えばよく、色の選択肢をどうするかは無償配布しているがゆえの悩みといえる」

内容以前の問題としてまず、日本語がおかしいですね。「無料配布している。そうでなければ」って、これだと「無料配布していなければ各家庭で好きな色のランドセルを買えばいい」っていうことになるでしょ。前後の意味が通らない。日本語が崩壊しちゃってます。朝日の記事には最近こういうの多いんですよ。内容とか思想とかイデオロギーとか以前に、こんなんでよく校閲が通るなと思うわけ。こういう文章を見ると、朝日はいよいよヤバイですよ。もう校閲が機能していないってことですからね。

この部分は意味がわからないから飛ばすことにして、次に行きます。

「鹿嶋市は1月、新年度から小学1年生約520人に配るランドセルの新デザインを発表し、色はキャメルに統一した。市教育委員会総務就学課によると、1976年に無償配布を始めて以来、男子には黒、女子には赤を配ってきた」

なるほど。男女で色を分けるのは差別だから全員キャメル、つまりラクダ色にしたと。でね、朝日は鹿嶋市のこの決定を良いことだという論調で報じています。多様性多様性と言いながら、一方で全員同じなのを是とするこのあたりの矛盾は朝日の得意技ですが、それは今回はさておいて、ラクダ色に統一された経緯については、次のように書かれています。

「かねて保護者からは『ジェンダー平等が言われる中で、男女で色を分けるのはどうなのか』という疑問の声もあがっていた。色を決めるために昨年6月~7月、保護者アンケートを実施したところ、キャメル色が一番多かったという」

それはクレーマーだって。「かねて保護者から」って言うけど、「かねて」とはいつからなの。「保護者」って誰なの? 520人いる新1年生の保護者なのか、すでに小学校にいる子たちの保護者なのか。いったいこの学校には何人の保護者がいて、そのうちの何割から「疑問の声」という名のクレームがあったのでしょう。

たとえば1000人いたとして、そのうちの一人、0・1%からクレームがきたらそれに応じるのかということですよ。どんな自治体にもあっち系の団体はいますよね。そういう人たちの中で「ジェンダー平等が言われる中で男女で色を分けるのはいかがなものか」と言い出す人が一人でもいたらそれに応えなければいけないのか。

男女で分けるのは差別だから何でも男女同じにしようなんて軽々に決めて、それを既定路線にしちゃったらマズイですよ。男女で何かを分けることすべてが性的マイノリティーへの配慮に欠けることになるというのなら、じゃあ、トイレを男女で分けるのも配慮に欠ける差別なのですか。小学校の体育の授業とか水泳の時とかに着替える部屋を男子と女子で分けるのもいけないのか。5年生とか6年生の高学年になるとお泊りで移動教室に行くでしょ。その時に寝室を男女で分けることも性的マイノリティーの人への配慮に欠ける差別なんですか?

それ以前の問題として、鹿嶋市にせよ、どこの自治体にせよ、子供が生まれたら出生届けを出しますよね。そこに記載するために生まれた子が男か女かって聞くことは差別に当たるのか。子供が産声をあげたとき、お医者さんとか看護師さんとか助産師さんとかが、「お母さん頑張りましたね。元気な男の子ですよ」とか「おめでとう、かわいい女のお子さんですよ」って男の子か女の子かを口にすることも配慮に欠けるのかって話ですよ。

どこの団体に属しているかわからない保護者がランドセルの色にクレームをつけてきたのをいちいち真に受けていたら、いま言ったような男と女で分かれているものをすべて撤廃しろって話につながりかねません。いまのところはランドセルですんでいますが、それだけで終わるとは思えない。こういう一見些末(さまつ)なことから始めて、じゃあトイレはどうするんだ、お風呂はどうするんだ、サウナはどうするんだとかいう話になったら収拾がつかなくなりますよ。

それで最も被害を受けるのは誰かといったら、わかりますよね、女性です。たとえば私は温泉が好きだけれど、全国の温泉、すべて混浴にしますってことになったら、女は怖くて温泉に行けなくなります。サウナとか、プールの更衣室とかも同じです。

男と女で分けたら性的マイノリティーはどうするの。あなたたち、それが差別だってこともわからないの。なんて遅れてるの、こういうものは撤廃しなきゃいけないのっていう理不尽な抗議に、自治体が恐れをなして「かしこまりました。男女の区別を撤廃してみんな一緒にします」なんてことになったら、まあ何が起こるかという話ですよ。

男女を区別することによって、日本に限らず、世界中のすべての国の秩序と安全が維持されているんです。世界中のいろいろなところで、制度として男はここ、女はここと分けているのは社会の知恵なんです。

ランドセルの色なんて、そんなの別にたいしたことじゃないんじゃないの、自分には関係ないし、みたいに思うかもしれませんが、違うんです。これは秩序の転覆に向けた第一歩なんだと受け止めなければいけません。

自分の裸や着替えているところを知らないおじさんとかに見られるのは怖い、気持ち悪い、嫌だって、女子なら誰でも思うでしょ。ところが、そういう気持ちを抱くこと自体が差別だということになる。それが思想警察の怖いところです。

アメリカなんかでは、自分の性別をどう認識しているかによって、トイレ、更衣室、サウナは男子用、女子用どちらに入ってもいいという場所がすでにあって、そういうところではもう大混乱になっています。

だって自称だから。女の裸を見たいおっさんが、「いや、自分は心は女なので」って言えば女が裸でいるところにいくらでも入っていいことになっているわけだから、それは大騒ぎになりますよ。

女子スポーツの世界でも混乱が生じています。自分は女子だと〝認識〟していれば、体の大きさとか、筋肉だとか、外からはいくら男に見えても女子競技に参加する権利があるとなったら、もう女子選手に勝ち目はありません。

いまのままだと、こういうディストピアは目前です。朝日のようなメディアは結局のところ、こういう社会的混乱を引き起こすことによって、日本のディストピア化を図っているわけですよ。

## 差別業界がめざす新たな階級社会

もう一つ、このランドセル問題のおかしなところは、結果的に全員同じ色にしてしまっていることです。そこには朝日が大好きな多様性のかけらもない。赤いランドセルがほしいという女の子の気持ちとか、僕はカッコいい黒がいいという男の子の気持ちに対する配慮は全くない。

配慮するのは文字どおり少数の性的マイノリティーの人に対してだけ。いや、そういう人たちは日本ではごくわずかだから、ある一つの小学校に本当にいるのかどうかもわからない。だから、はっきり言えば、色分けするのは差別だと主張する、おそらく一人か二人の保護者に対する配慮なんです。結局、こういう差別論者にとっては、男の子より女の子、女の子より性的マイノリティーという優先順位が付けられているわけ。

優先順位って言うとあまりピンとこないかもしれないけれど、これはぶっちゃけ階級ですよ。つまり、あっち系の人たちで構成される差別業界がめざすのは、新しい階級社会を作ることなんです。

その階級社会というのは、実はすごく複雑なことになっています。いま、男より女が上、女より性的マイノリティーが上、というように非常に単純化して言いましたけれど、現実の社会を見ると、そこに人種・民族、宗教、障害、年齢とかいった要素を組み合わせた階級が形作られつつあります。それを「インターセクショナリティ」と言うんですね、ハイ。

そのインターセクショナリティ理論に基づいて、すべての人がどこの階級に属するかが決められています。では、この階級の最下層、いちばん下に属するのはどういう人かというと、たとえばアメリカでは、男で、白人で、異性愛者で、キリスト教徒。これが最下層階級ということになります。言い換えればいちばんダメな人間です。

こういう人間たちがこれまで社会を牛耳って他の属性の人たちを差別し、抑圧してきたが、でも、これからは違うというわけです。では、差別業界が考える新たな階級社会のトップに君臨するのは誰か。それはご想像にお任せしますが、逆に考えていけばわかります。白人ではない、男ではない、異性愛者ではない、キリスト教徒ではない人たちです。彼らの目指す現在の社会秩序の転覆というのは、そういう意味です。

すでに本場アメリカではこのインターセクショナリティ理論が学問として認められていますが、これを日本にも持ち込もうと頑張っている人たちがいます。いまの日本の秩序を覆して階級2・0を目指す人たちですね。朝日新聞によく登場していますよぉ。

ランドセルの色とか、一見どうでも良さそうな朝日の記事にも、実はこうした人たちの思惑がその根底には潜んでいるわけです。

そういうことにみんなが気づかなければいけないんですが、私のようにいつも批判的な目で朝日新聞を読んでいる読者ってごくわずかです。こうやって女子のランドセルは赤、男子は黒と決めつけるのはよくないみたいな記事が出ると、そうか、これが新しい進んだ考えなんだ、よし、ウチの子のランドセルもキャメルにしよう、なんて考えちゃう素直な読者の方が多いんですよ。

いや、ラクダ色が好きなんだったら別にいいんですよ。でもね、女の子には赤というのはホーケン的で古いのかな、なんて思う人がいたら、いやいや古くない、その子がほしい色にしてください、赤が好きなら赤いのを買ってあげてくださいって言いたいわけ。一緒に仕事したことのあるエジプト人に、男だけどいつも真っ赤な服を着ている人がいました。別に男が赤を着たっていいし、赤いランドセルをほしがる男の子がいたっていいわけですよ。

それを、男は黒、女は赤というのは良くないからすべて同じ色のランドセルにするなんて、まるで国民全員に同じ服を着せたポル・ポト時代のカンボジアじゃないですか。教育委員会は何を考えているんですかね。

最近はランドセル選びも迂闊にはできないということですよ。

（2023年2月9日）

## 市営プールでトップレスOKは女性の勝利って、マジっすか

### ある日のこと、ベルリンで

今回お伝えしたいのは、CNN日本語版が報じていた「独ベルリンの市営プール、女性

のトップレスＯＫ『禁止は性差別』の訴え認める」（２０２３年3月13日）というお話です。

さあ、ベルリンでいったい何があったのかというと――。

「ドイツの首都ベルリン市内の市営プールで、女性が男性と同じようにトップレスで泳ぐことが認められ、ジェンダーの平等に向けた一歩前進として歓迎されている」

これはジェンダー平等へのあくまでも前進なんだそうです。つまり良いことだというわけね。ということは特定の価値観に基づいた判断ということです。これは良い、これは悪いというのは、ある価値観に基づいているからこそ言える。だから、ＣＮＮ的価値観では、女性がトップレスで公然と泳げるようになったのは性差別撤廃に向けての前進ということになるんですね。

さて、その経緯については、以下のように説明されています。

「市当局が行動を起こしたのは、女性水泳選手が２０２２年12月、胸を隠さずに市営プールで泳ごうとして止められたことがきっかけだった。女性は上院司法・多様性・反差別局のオンブズマン事務所に不服を申し立て、当局はこの女性が差別の被害に遭ったと認定。ベルリンの市営プールでは女性も女性でも男性でもないノンバイナリーの人も含め、全利用者のトップレスを認めると発表した」

ある女の人が上半身裸でプールに入ろうとしたら止められた。いや、普通止めると思いますが、それが差別だと訴えたら、被害者と認定されたので、ベルリンの市営プールでは誰でも上半身裸で泳げるようになった。ジェンダー平等の観点から、素晴らしい判断だというのです。

さっき言ったように、これは価値観の問題なわけですね。ご承知のように、世界にはさまざまな価値観がありますから、ベルリン当局の決定が絶対的なものとは言えません。そこで、私はイスラム研究者ですから、イスラムの人たちがこれにどういう反応しているかを調べてみました。ドイツにはイスラム教徒がたくさん住んでいますからね。

最近はツイッターという大変便利なツールがありますので検索してみると、たとえばジャアファル・アブドゥル・カリムさんという方。こちらの方はドイチェ・ヴェレというドイツ公共放送のアラビア語放送の番組司会者で、つまり有名人です。彼がこのニュースを否定的に取り上げたところ、これに対してたくさんのコメントが寄せられました。カリムさんはいわゆるインフルエンサーですから。

その中の一つ、アカウント名アリーさんという人は「これは女の勝利じゃなくて男の勝利だよ」って書いていています。これが素直な反応じゃないでしょうか。女性差別だとか女性の権利だとか、そんな経緯を知らない人が聞いたら、誰だってそう思いますよ。ただ男が喜ぶだけの話です。実際、「このプールどこにあるの？　住所教えて」とか「僕も行ってみたい」とか、そういう冗談とも本気ともつかない男のコメントがズラッと並んでおりましたよ、ハイ。

次は女の人のツイートをご紹介しましょう。こちらはイギリス在住のイスラム教徒、ファティマさんという方で、「オーサー」とあるから物を書く人なんでしょうね。この方も結構なインフルエンサーで、フォロワーさんがたくさんいるようです。彼女はこう書いていま す。

「これを女性の勝利だという人はどれほど愚かなのだろう。男が裸の女を見つめるだけではないか。勝ったのは男性に決まっている。公共の場所で裸になることが文明だなどと言っているのは愚か者だけだ」と。

これは非常にイスラム的なものの考え方です。イスラム教では、神様は男と女をそれぞれ別のものとして作ったと考えます。そして男には男にふさわしい役割が、女には女にふさわしい役割が与えられた。だからその点においては男と女は平等である。けれども、別のものだから当然、その権利と義務は異なる。決して同権ではない。これがイスラム的な男女観、人間観なわけ。

その男女の違いについてわかりやすい例を一つあげると、外出するときには体のどの部分を隠さなければいけないかというルールがあります。そして、どこが人に見せてはいけない恥ずかしい部分なのかは、男と女でそれぞれ違う。

男の恥ずかしい部分はおへそから膝下まで。だから公共の場に出る時は必ずそこを隠さなければいけない。じゃあ女はというと、これはほぼ全身。外出の時にはできるだけ全身を覆い隠さないといけない。だから基本的には女はなるべく外に出ないで家にいるようにする。これがイスラム的なルールです。

イスラム教徒の女性が着るものにも、いろいろバリエーションがあるでしょ。被るものにしても髪だけを覆う人もいれば、髪と首元を覆っている人もいれば、目だけ出している人、目まで全部隠している人もいます。それからね、たとえば私が住んでいたタイなんかは暑いから、イスラム教徒の女性は、髪を隠してはいても、服は半袖なんていう人も普通にいたりするわけです。でも中東では半袖の女性はほとんど見ません。たぶん東南アジアは特殊なのでしょう。

じゃあ何でそういう違いが生まれるかっていうと、神様から隠すことを命じられた恥ずかしい部分をどこからどこまでと認識しているかによるんです。でもいずれにしろ、そういうイスラム教徒にとっては、裸同然の格好をして公共の場に現れる連中は野蛮人、未開人にしか見えません。だから、トップレスをめぐるベルリンの市営プールの騒ぎなんか、愚か者の茶番としか思えないわけです。

## なぜ日本人はG7の価値観で見るのか

そもそも、服を着ていないのは未開人だという認識はヨーロッパ人も共有していたはずです。大航海時代以前からアフリカ大陸に進出していた彼らは、アフリカやアメリカ大陸の原住民には文明がない、われわれが啓蒙してやらなければいけないと思い込んだ。その根拠の一つが、彼らがろくに服を着ていなかったからです。それが今になって体を隠せというのは差別だ、服を着ないことこそが先進的なんだって言い出したら、それはイスラム教徒だって面食らいますよ。

イスラムの人たちに対して、なぜ女性の全身を覆い隠すんだ、それは女性に対する差別だ、イスラム教は差別的な宗教だなんて批判することにイスラム教徒は怒っています。それがベルリンの市営プールのニュースに対するイスラム教徒のツイートを見ているとよくわかります。

別に私は、女性は全身を覆い隠さなければいけないとか、女性と男性は同権ではないというイスラムの考え方を称賛しているわけでも、支持しているわけでもありません。どっちがいいとか優れているとかいう話をしているんじゃない。ただイスラム教の考え方はわれわれとは違うと言いたいだけです。

ドイツにしても日本にしてもそうですが、多様性というものを推し進める原動力になっているのはリベラリズムです。そして、どんな人も受け入れられるべきだ、多様な人たちそれぞれの権利が認められるべきだという考え方を突き詰めていった結果どうなったかというと、男と女の区別をなくすことが差別撤廃で、それこそ賞賛すべきことだという考えに行き着いた。その証の一つが、女が公共のプールで上半身裸になって泳ぐことで、それこそが女の勝利だという倒錯した考え方なんです。

ドイツ国内に目を向けてみると、いまイスラム教徒がどんどん増えています。これも多様化の成果かもしれません。同時にドイツでは、男女のほかに、多種多様な性的マイノリティーの存在を尊重すべきだ、それぞれの権利を認めるべきだ、だから同性愛も当然、認められるべきだという超絶リベラルの考え方をする人も激増しています。では、そういう考え方をイスラム教徒が認めるかっていうと、そんなこと絶対あり得ません。認めないどころか、そういう人もいるよね、いてもいいよねっていうレベルの人すらいない。それはもう神の秩序に反する所業であって、とうてい受け入れられないという人がほとんどです。それが高じてくると、同性愛問題とか、今回のトップレスのような問題をめぐって、イスラム教徒と超絶リベラルの衝突が起こります。論争のレベルじゃなくて、街頭でデモ隊同士がガチンコで衝突するという現象がすでに起こっています。それだけじゃなくて、イスラム過激派が同性愛者を襲う事件もけっこうある。それはイスラム教徒としては絶対に許せない、見るもおぞましい光景だからです。

多様性の世界って、いろんな価値観を持っている人たちがお互いを尊重し合ってほっこりと共存していくようなものではありません。一つの共同体の中でお互い全く相容れない思想を持つ集団の分断と対立がどんどん先鋭化しています。それが多様性の現実だということを、日本人も知っておくべきです。

日本にも何かというとジェンダー差別だと騒ぐ超絶リベラルの方、要するにあっち系の人たちがいて、日本の女性の地位はＧ７の中で最下位だとか、同性婚を認める法律がないのはＧ７で日本だけだとか、〝ジェンダー先進国〟Ｇ７を基準にものを言う方が多いようですが、でも視野を広げて世界を見れば、政治的・社会的に同性婚や上半身裸で泳ぐことをよしとする方向に猛進している国はごくごくわずかです。はっきり言って、マイノリティーですよ。

日本はどうして何かといえばG7に足並みを揃えたがるのか、G7と同じにするのが正しいと思うのか、少し考えたほうがいい。日本と他のG7諸国とはそもそも全く違う文化圏の国だから。たとえばキリスト教という宗教的バックグラウンドをわれわれは持たないし、民族、歴史、言葉も違うし、価値観も違う。G7のメンバーだからって、他の国と横並びになる必要はないでしょ。

世界を見渡せば、欧米の超絶リベラルな考え方にはついていけないっていう国は結構あるわけですよ。その代表格がイスラム諸国。そして、倒錯したリベラリズムへの嫌悪感を利用して途上国や新興国をまとめ上げようとしているのが、中国とロシアです。

どちらの方向に進むにせよ、世界の価値観を決めるのは欧米じゃない。ヨーロッパとアメリカが先進国だからといって、彼らの価値観だけが正しいわけじゃないし、世界が向かうべき方向を決める権利は彼らが独占しているわけではないという認識を持つことが大事です。

少なくとも、彼らの超絶リベラリズム価値観は世界の多くの国にとってドン引きするものであることを知っておく必要があるのではないでしょうか。

（2023年3月14日）

# 「日本には着たいものを着る自由がない」って知ってました？

## 日本が上位のジェンダー指数ランキングもある

私、もともと朝日新聞と毎日新聞が大・大・大好きなんですが、でも最近、日本経済新聞も相当きています。最近いちばん感動したのは日経のこの記事ですね。「着たいものを着る自由を手に　ADB副官房長・児玉治美　ダイバーシティ進化論」（日経電子版2023年1月26日）。

驚きました。日本には着たいものを着る自由すらないんだそうです。みなさん、ご存じでしたか？　いやー、私は知らなかったなあ！

で、本題に入る前にもう一つ質問、「ADB」って知っていますか？　私バカなんで、これも知りませんでした。私は日経のオンラインの会員なんだけど、記事本文を検索してもＡＤＢってどこにも出ていない。説明がないんですよ。めっちゃ不親切ですよね。

どんな文章でもそうですけど、こういう「ＡＤＢ」みたいなアルファベットの略字が出てくる場合、よっぽど人口に膾炙（かいしゃ）しているものを除いては、初めて出てきたときに何の略かというのを示すのが基本的ルールです。たとえばＥＵなら欧州連合（European Union）とか、ＷＨＯなら世界保健機関（World Health Organization）とかね。

でも、この記事にはＡＤＢが何の略かは書いてない。ＡＤＢって何。しかたないのでググってみました。そうしたら、どうもアジア開発銀行（Asian Development Bank）の略らしいんですね。

で、この「ダイバーシティ進化論」というのは、そのＡＤＢの副官房長である児玉治美さんという方の連載コラムらしくて、２０２２年12月5日付で「女性活躍進むアジア途上国　ＡＤＢ副官房長・児玉治美」という記事も載っています。まず、こちらの冒頭部分を読んでみましょう。こう書いてあります。

「国際機関で働いていると、支援の対象である途上国の方が、支援を行う先進国側である日本よりジェンダー平等が進んでいると感じることが多い。世界経済フォーラムが（２０２２年）7月に発表したジェンダー・ギャップ指数によると、日本におけるジェンダー平等は１４６カ国中１１６位だったが、アジア・太平洋の途上国で日本よりランキングが高かった国は19位のフィリピンを筆頭に23カ国もあった」

すごいですね。文章のしょっぱなからポジショントークです。いや、私もけっこういろんなところにコラム書いていますけど、「国際機関で働いていると」なんて、いきなり自分の所属機関の話から切り出すなんてことないですよ。

児玉さんは何が言いたいかっていうと、「国際機関で働いている私は、日本みたいな底辺国でグズグズしているあんたら庶民とは視点が違うんですよ。だって私、国際機関で働いているんですから」ということですよね。いや、違うかもしれませんよ。私はとりわけ性格が悪いのでそういう風に感じるだけなのかもしれないですけど、少なくとも一読者として私はそう感じたということですね、ハイハイハイ。

それに続けて児玉さんは、日本はジェンダー平等という点で途上国にすら負けているって言っています。こういう表現、非常に多く見ますよね。日本は途上国レベルだとか、途上国にすら負けているとかね。これって実はすごい失礼な言い方で、大前提として途上国というものを世界の底辺のように見下していることになる。その〝底辺国〟と比べてさえ、日本はどれくらい遅れているかというと――。

「ジェンダー・ギャップ指数ではバングラデシュ、インドネシアのランキングはそれぞれ71位、92位。貧困など多くの開発課題を抱える半面、女性の活躍という意味では日本より進んでいる。ADBなどの支援のもと、これらの国々でジェンダー平等施策が着実に実行されると、日本との差がますます広がるのではないかと心配になる」

この文章、ちょっとおかしいですね。

バングラデシュとインドネシアは日本よりジェンダーギャップ指数のランキングが上だから「日本より女性の活躍が進んでいる」っていきなり結論付けていますけど、これがまずおかしいでしょ。日経に限らず、朝日、毎日、それにフェミニストの皆さんはジェンダーギャップ指数が大好きで、これこそが日本で女性が虐げられている証拠のように言うけれど、それは彼らがこの指数を悪用しているだけのことです。

というのは、ジェンダーギャップ指数というのは、女性と男性の性差を示す国際的な指標の一つに過ぎないからです。実は似たような指標はほかにもある。どれを取り上げるかによって評価は変わってくるわけですよ。具体的な例をあげてみましょう。

たとえば、フェミニストのみなさんが大好きな、内閣府の男女共同参画局というのがありますよね。そのホームページに、「男女共同参画に関する国際的な指標」というのが出ています。

あっち系の方々が大好きな、そのジェンダーギャップ指数が最初に紹介されています。これを発表しているのは世界経済フォーラム。名前は大層なものですが、スイスの一団体にすぎません。で、これによると、児玉さんがおっしゃる通り、日本は146カ国中116位。確かに低い。アメリカ、ベトナム、インドネシア、タイより低い。中国より低くて、アフリカのブルキナファソに次いでランキングされています。

こういうのを見て、あっち系の人たちは、ほーら日本はアフリカの国より下だ、途上国より下だとか言って大喜びするわけですが、繰り返します。国際的な指数はジェンダーギャップ指数だけではありません。

男女共同参画局のホームページが次に紹介しているのが「ジェンダー開発指数」。国連開発計画「人間開発報告書2021／22」を基に作成されたもので、「人間開発の3つの基本的な側面である健康、知識、生活水準における女性と男性の格差を測定し、人間開発の成果におけるジェンダー不平等を表している」と説明されています。

これによると日本の順位は191カ国中76位。あれ？　なんかちょっと印象変わりますよね。ジェンダーギャップ指数ではもう最下位に近いような感じでしたけど、こっちのほうでは上位半分のほうに入ってんじゃね？　みたいに思えます。

さらにもう一つ、「ジェンダー不平等指数」というのがあります。これは国連開発計画「人間開発報告書２０２１／２２」を基に作成されたもので、こちらは「リプロダクティブ・ヘルス（性と生殖に関する健康）、エンパワーメント、労働市場への参加の３つの側面における女性と男性の間の不平等による潜在的な人間開発の損失を映し出す指標」と説明されています。

これによると日本はなんと、１９１カ国中22位なわけ。えっ、日本けっこう高いじゃん、ジェンダー平等が進んだ国じゃん、女性差別の少ない、いい国じゃん……ということになります。

要は、何を軸にとって、どんな要素をもとにして指数を作るかによって、ジェンダー平等についての国の評価は全く違ったものになるということです。

だから、日本は男女平等が進んでいない、女性差別の多いダメな国だと言いたい人たちはジェンダーギャップ指数を持ちだしたがるわけ。だって、じゃあなぜ「ジェンダー開発指数」と「ジェンダー不平等指数」についてはひと言も触れないのか。そこに恣意(しい)的な操作があるわけです。

## 興味もないくせにイランをダシに使うな

すっかり回り道をしてしまいましたが、話を元に戻して、その児玉さんというＡＤＢ副官房長が今回書いている「日本には着たいものを着る自由がない」という話ですが、これだって、いくらなんでもそりゃおかしいだろって思いますよね。だって、そこらへん歩いている人たち、みんな着たいもの着てるでしょうよ。相当ムチャクチャな格好していますよ、日本人。

私がいちばん腹が立つのはね、この人、日本に服装の自由がないっていうデタラメを言うためにイランをだしに使っていることです。これに私はカチーンときたわけ。彼女はこう書いていいます。

「２０２２年、最も印象に残ったニュースにイランでの反政府デモがある。９月、ヒジャブ（髪を隠すスカーフ）の着用をめぐり風紀警察に拘束された女性の急死を受けて全国的な抗議行動が起こり、今も続いている」

彼女はこのイランの反政府デモを「女性が変革を求め立ち上がったケース」だっていうふうに一般化して、そこから話をいきなり遥か彼方のアメリカに持っていって、あらぬ方向にズラしてしまうんです。こんなふうに。

「55年前、米国でミスコンに反対した女性らが、抑圧の象徴である口紅やハイヒール、ブラジャーをゴミ箱に捨て、外見にとらわれない自由を主張した。『ブラジャーを燃やすフェミニスト』のイメージがアイコン化された事件だった」

これは相当おかしいですよ。あのイランのデモは、外見にとらわれない自由とか、そんなものを求めているわけじゃない。そんな生易しいものじゃないんです。

イランの女性がヒジャブ着用に抗議しているのは、ヒジャブを取った素の私を見てほしいとか、外見じゃなく中身を評価してほしいとか、そんな甘っちょろいことじゃない。全然違う。彼女たちにとってのヒジャブは、まさに権力と体制の象徴なんです。

ヒジャブをしないとか、あるいはヒジャブがちょっとずれて前髪が見えているとか、そういうレベルでも当局に拘束されたり、投獄されたり、下手すると命を奪われる。そういう理不尽に対して、イランの女性たちは命をかけて抗議しているんです。外見がどうの、ブラジャーがどうの、そんなものと同じレベルで語っていい話じゃないんですよ。

しかも、この児玉さんって方、こんなことまで言い出すわけ。

「日本でも2019年に始まった#KuToo運動が記憶に新しい。『靴』と『苦痛』を掛け合わせた造語で、職場でのハイヒール着用の義務付けに抗議する運動である。ハイヒールによる健康被害や女性だけに苦痛を強いる差別的扱いに焦点が当てられ、国会でも取り上げられた」

　靴ですよ、靴。イランの女性の抗議行動と同列に語るのはいくら何でも失礼じゃありませんか。イランの女性たちには自由も選択の余地も一切ない。逃げ場なし。女性であるというだけでヒジャブを被らないと拘束される。彼女たちは、そうした権力と命をかけて戦っている。それを靴が苦痛だなんていうダジャレと一緒に語りますか？

　この#ＫｕＴｏｏ運動があった時、私は外国にいたのでよく知らないんですが、これは要するに、日本の女性の一部が特定の職場においてハイヒール着用を義務付けられていることに対して抗議したということでしょう？

　それは抗議したってもちろんかまいませんよ。日本には抗議する自由がありますからね。マスコミを利用してスピーカー使って大声で抗議するのも自由です。だけど、彼女たちには選択の自由もありますよね。だってその職場がいやだったらそこで働かなきゃいいじゃないですか。あるいは職場でハイヒールを義務付けるのは憲法に反すると訴える自由も権利もあります。そういう自由がいくらでもありながら、あっち系のマスコミとグルになって始めた運動が#ＫｕＴｏｏでしょ。それとイランの女性の抗議行動を同列に扱うのは、いくらなんでも無理でしょうよ。

さらに児玉さんはこう続けます。

「日本には服装を取り締まる風紀警察はいないが、着たいものを着る自由があるとは言い難い。学校では髪形や服装について細かい規定があり、男女に別々のルールが課される。私が通った米国の高校では外見についての校則が全くなかったが、海外では珍しいことではない。現在息子たちが通うフィリピンの学校でも自由度が高く、トランスジェンダーの中学生が堂々と好きな格好をしている」

いかがですか？　みなさん、いろいろと思うところがあるんじゃないですか？

この人、日本には着たいものを着る自由がないって言ってますが、ありますよ。町を歩いてみてください。みんな着たいものを着ていますよ。最近は髪も色とりどりで、どうやって染めたんだろうと思うような人とか、熱帯の鳥みたいにカラフルな髪をしている人とかね、超（スーパー）サイヤ人みたいな人だっていますよ。

男の人が女みたいな服着たり、女の人が男みたいな恰好したりね、もういろいろじゃないですか。お化粧した男の人もいるし、お化粧しない女の人もいます。イランでは男が女の人の格好をしたら、それだけで即逮捕ですよ。児玉さん、それ知ってます？　そういうのを、着たいものを着る自由がないって言うんで・す・よっ！

それは日本でも学校とか職場とかで特定の服装規定が設けられているところがありますよ。我が校の制服はこうです、我が社はネクタイ着用が定められていますとかね。でも、それがいやなら入らなきゃいいだけの話じゃないですか。

もう一つ、この児玉さんがおかしいのは、まるでアメリカとかフィリピンでは日本と違って服装規定というものがない、とにかく自由なんだみたいなことを言っていることです。あのね、アメリカだってフィリピンだって、世界のどこの国だって、制服のある学校はあるし、服装規定のある職場なんていくらでもありますよ。

レストランとかホテル、それに改まったパーティーだと、こういう服装でお出でくださいと言われることがありますよね。そういうドレスコードに対して、あなたは「着たいものを着る自由がない！」って叫ぶつもりですか。あなたは何だっけ、ＡＤＢの副官房長でしょ、偉いんですよね。だったらパーティーとかによく招待されるでしょ。そのたびに着たいものを着させろって言うんですか。

イランの女性はヒジャブが義務付けられているだけじゃありません。法律上、男の半分しか価値がないと決められていることがたくさんあるんですよ。たとえば相続ね。男の子と女の子がいた場合、女の子の相続分は男の子の半分って決められているんです。そういう国なんですよ、イランは。

イランの女性たちが抗議しているのは、ブラジャーだハイヒールだなんて問題じゃありません。イランという国の法律、不平等不公正なルール、それに抗議する人たちを力ずくで排除し、命を奪う体制すべてに対して戦っているんです。自分で選んで入った職場や学校で決められた服装が気に入らないとかいうのとは別次元の話ですよ。

この児玉さんという人、「2022年に最も印象に残ったニュースはイランでの反政府デモだ」とか言ってますけど、この反政府デモの本質は何なのか、女性たちが何に抗議しているのか、おそらく何も知りません。本当に知っていたら、ブラジャーを燃やすフェミニストとか#KuToo運動とか、そんなものと同列に並べて軽々しく語ったりはできないはずなんですよ。

実はイランの反政府デモになんて全く興味も関心もなくて、ただ日本を貶めるために利用しただけ。こういうことをする人、私は本当に大嫌いです。日本下げなら日本だけで下げてくれ、知りもしないイランとか外国の悲惨な状況を利用するのはやめてくれ。国際機関で働いているとか、アメリカの高校を出たとか、自慢話に使うなと言いたくなるわけ。日経的には説明するまでもないＡＤＢも知らなかった意識の低い私ですが、この記事を読んでググったおかげで、ＡＤＢがアジア開発銀行だということを知りました。いや、勉強になりました。そして、その副官房長を務めていらっしゃる方がどんなご見識をお持ちかということもよーくわかりました。

おかげで、ついつい頭に血が上り、大変失礼いたしました。

（２０２３年1月27日）

## 女の地位ランキングを簡単に上げる方法教えます

### 日本とアラブ全方位にケンカを売る

今回はね、『プレジデントオンライン』という雑誌のサイトでこういう記事を見つけました。ここもおかしな記事をたくさん出しているサイトですが、今回取り上げるのは、「『女の地位がアラブよりも下』な日本が、今後先進国の地位を失わないために海外から学べることは何か」（２０２２年12月17日）。これですよ、これ。

見出しを見た瞬間から、「は？」と思った方がたくさんいらっしゃるんじゃないかと思いますが、私もそうです。

典型的な〝日本下げ〟なのは明らかです。日本はダメだ、とにかくダメだ、ダメな国なんだ、どこもかしこも何から何までダメだっていう、朝日新聞をはじめとするあっち系に共通する視点です。それは言うまでもございませんが、この記事の特筆すべき点は、全方位に喧嘩を売っていることです。

筆者は岩辺みどりさんという方ですが、まず「女の地位がアラブより下」って、これ、明らかにアラブというものを見下しています。あの男尊女卑のアラブですよ、そのアラブより日本の女性の地位は低いんですよって貶（けな）しているわけだから、日本だけでなくアラブにも喧嘩を売っていることは明らかです。

それでもって、日本はとにかくダメな国だから海外から学ぼうっていう言い方。これも飽き飽きするほど聞いたお決まりのパターンですね。記事冒頭にこうあります。

「アジアのマレーシア、中東のドバイ、北欧のフィンランドの3国より、現地在住の女性たちからリアルな声をリポート！」

ほら出たでしょ、外国に住んでいる日本人ですよ。ウチらの住んでいる海外では、ナントカカントカ、それに比べて日本は……っていう、例の〝出羽守（ではのかみ）〟ですよ。

じゃあ、そもそも何を基準に日本はアラブより下だと言っているのかというと、世界経済フォーラムっていう団体が決める例の「ジェンダーギャップ指数」（２０２１年）。あっち系お得意のやつですよ。それによると、日本は世界の１２０位で、先進諸国の中でいちばん低い。だから女性が虐げられていると言っているんです。

ではどこの国を見ならったらいいのか。まずマレーシアです。マレーシアはジェンダーギャップ指数ランキング１１２位なので、日本より少し上の国です。で、首都クアランプールに住むジェトロ職員の日本人女性が、こう言っているというわけ。

「２００４年にマレーシア政府が公的部門での女性管理職比率を3割にするという目標を掲げ、２０１０年に達成。２０１１年9月には38％まで伸びています。政治でも閣僚約40人のうち5人が女性。スタートアップ支援機関や自動車協会の会長、中央銀行の総裁などは、みなマレー系女性です。民間では市場調査アプリで成功し、フォーブス誌の『Asia's Power Businesswomen 2021』に選ばれたナディア・ワンをはじめ、スタートアップ企業のトップにも女性の姿があります」

わかりますよね。要するにこのジェンダーギャップ指数の数値というのは、企業の重役とか役員に女性がいたり、女性が起業したり、女性の政治家や閣僚が多かったりすると上がる仕組みになっておるわけですよ。ジェンダーギャップ指数の基準を満たしていけばランクは上がる。マレーシアの場合、それに合わせようとしたのかどうかはわかりませんが、とにかくその条件を満たし、数値が上がったというわけです。

わかりました。確かにそのおかげでジェンダーギャップ指数のランキングは日本より高くなった。でもね、問題は、マレーシア社会における女性の地位は、本当に日本社会における女性の地位より高いのかっていうことです。

私が言いたいのはね、ある国の社会における女性の位置づけというのは、決して世界共通ではないということです。だって、社会における女性の果たすべき役割とか、女性がどう見られているのか、それが社会や国によって違うのは当然でしょう？

にもかかわらず、このジェンダーギャップ指数ランキングというのは、各国の文化や状況を顧みることなく、画一的な基準に当てはめて男女格差の有無を決めているわけ。自分たちで勝手に決めた基準から外れていたら、女性が虐げられている遅れた国だということになる。

私は日本人で日本に住んでいるから、日本では女性がだいたいどんな感じでいるかっていうことについては肌で感じるものがありますが、マレーシアの女性と比べてどちらがどうとは一概には言えません。でも一つ押さえておくべきポイントは、マレーシアというのは過半数がイスラム教徒の多民族国家だということです。

マレー系、華僑、インド系、いろんな民族と宗教の人がいますけど、マレーシア人の6割はイスラム教徒です。そして、いつも言っているように、イスラム教というのはそもそもジェンダーギャップありきなんですね。つまり、社会における男女の性差がないことを理想とするジェンダーギャップ指数とは正反対の、「男と女は全く違う。以上」という宗教なんです。

神様は男と女にそれぞれにふさわしい義務と権利を与えたと考えられていますから、社会における男と女の役割は違っているのが当然なわけ。だから男女同権とか、性差をなくそうとか、そういう発想がそもそもありません。

それに、マレーシアでは同性愛は基本的に禁じられています。イスラムの世界には男と女しかいないわけだから、そのどちらでもないとか、女なのに女が好きだとか、男なのに男が好きだということは社会にあってはならないということになっている。だからマレーシアでは同性愛行為のために逮捕されたり、処罰されたりする人もいるわけです。

この『プレジデントオンライン』の記事にも、マレーシアっていうのは多民族国家だと書かれていますが、これは単に、日本は外国人を受け入れようとしない画一的国家で、多様性のない国だと言いたいだけで、要は日本をディスりたいわけです。こうやって外国の都合のいいところだけつまみ出して、それに比べて日本はどうのこうのと言うのがあっち系の常套手段なわけですね、ハイハイハイハイ。

## 外国人女性と富裕層の子女の活躍

この記事がマレーシアの次に取り上げているのがドバイ。あのＵＡＥ（アラブ首長国連邦）の首長国の一つです。ドバイについては、２０２０年から２０２１年にかけてジェンダーギャップ指数の順位を48も上げたと紹介されています。現在のランキングは72位。「女の地位がアラブよりも下」というタイトルの「アラブ」というのはＵＡＥのことだったんですね。

で、記事にはこうあります。ドバイでは、公的分野では労働者の女性比率が66％と過半数を占め、管理職の比率も30％を超えていると。そうですか、そうですか。ところが、現地に住むジェトロ・ドバイ事務所次長という日本人女性の話を聞くと、ちょっとおかしいわけ。彼女はこう言っています。

「活躍は外資系企業の外国人女性が大半であり、今後の課題はエミラティ（後述）の女性たちの活躍」

は？　ちょっと待って。えーっと、女性労働者比率が66％、女性管理職も30％を超えている。でも、活躍しているのは外資系企業の外国人女性が大半？　これ、ちょっと意味わかんないでしょ？

日本の女性の地位はアラブより下だとディスっておいて、アラブの国で活躍している女性の大半は外国人女性ですってどういうこと？　じゃあどこを見ならえと言うの？

さらに、「エミラティの家庭は……」と話がつながるんですが、この「エミラティ」って何かと思いますよね。私もカタカナでエミラティって書いてあるのを初めて見たんですけど、あのね、UAEって、「United Arab Emirates（ユナイテッド・アラブ・エミレイツ）」の頭文字で、アラビア語では「イマーラートゥル・アラビーヤトゥル・ムッタヒダ」っていうわけ。で、最初にある「イマーラート」に「イー」をつけると「イマーラーティ」になって、何々の人って意味になるわけ。だから「私はイマーラーティです」と言うと、「私はUAE人です」という意味になります。

そのイマーラーティを外国人が音訳したら「エミラティ」になる。たぶんそういうことで、この記事では「自国民」「ＵＡＥ人」って意味で「エミラティ」という言葉を使っているんだと思います。そこで、話の続きですが、このジェトロ・ドバイ事務所次長はこう言っています。

「エミラティの家庭は保守的な家も多く、女性は早くに結婚・出産して家のために尽くすものだという思想も根強い。民間企業でエミラティ女性はほぼ見ず、政府機関や政府系企業で海外留学から帰国した王族や富裕層の子女のみが活躍しています」

これが実態ですよ。この実態を以てＵＡＥのジェンダーギャップ指数が高いから、日本も見ならえって、全く意味がわからない。

そもそもＵＡＥというのは非常に人口が少ない国で、国内の産業活動を担っているのはほとんど外国人なんですね。自国民は人口の1割から2割ぐらいしかいない。しかもそのほとんどは大富豪なわけ。私はつい最近までタイに住んでいましたけれど、タイにあるＵＡＥ大使館の大使館員の女性というのは例外なく、そういう大金持ちの娘、つまり良家の息女なんです。

というのは、いまＵＡＥは近代化政策を進めていて、オープンな近代国家であることを対外的に示すことによって、海外企業や観光客を誘致して、投資を呼び掛けることが国策になっているわけ。女性が表舞台に立って活躍しているのも、近代国家としてのイメージアップ戦略の一つで、女性を大使にしたり、女性大使館員を多くしたりしているのはそのためです。だから、女性の社会的地位が高いとか低いとかいうのとは全く関係がないわけ。

それが国家戦略であって、民主的なプロセスは一切なく、お上がこうと決めたらそのとおりになる世界です。こういう極めて特殊な独裁体制の国と比較して日本を貶めようというのは、それこそ言いがかりというものです。

じゃあね、日本の社会における女性の地位は、あっち系の人にそんなにディスられなきゃいけないほど低いのかって話ですよ。そんなもん、朝日とかプレジデントに教えていただくまでもなく、健全な精神を持つ大人なら誰でも知っていますよ。

今は共働きの夫婦も多いけれど、旦那さんが自分の稼いだお金をすべて奥さんに渡してね、奥さんが財布をガッチリ握って、旦那さんが使えるのは奥さんからもらうお小遣いだけ、なんて家もいっぱいあります。でも、そんな国は日本のほかに聞いたことないですよ。

それは世界は広いし、私も別に世界の津々浦々まで知っているわけじゃありませんから、もしかしたら日本以外にもそういう国があるかもしれませんが、それは極めて限られた国のはずです。

やれ日本の企業には女の重役が少ないとか、やれ女性議員や女性閣僚が少ないとか、起業家に女性が少ないとか、そういう理由で日本の女性の地位は低い、アラブやマレーシアより劣っているなんて言われる筋合いはない。ほっといてくれって話ですよ。

そもそも多様性が大事だとかなんだとか、朝日や毎日はいつも言っているじゃありませんか。だったら、社会における女性のあり方にも多様性があって然るべきでしょう。どういうふうに暮らせば女性は幸せなのかとかね、そんなのいろいろあっていいじゃありませんか。外で働きたいって女もいるだろうし、幼い子供の面倒を見ながら家事をしたいって女もいるかもしれない。

女は政治家になるななんて、別に誰も言ってませんよ。ただ政治をやりたいって女が少ないだけです。私だって政界に入れなんて言われたら、やだやだ、そんなこと絶対したくないって断ります。それは私が虐げられているからじゃなくて、ただ政治をやりたくないからです。それを、いつも多様性多様性と言っている人たちが、あることに関しては極めて画一的な基準を当てはめようとする。多様性はどこ行ったのよって話ですよ。

要するに二重基準なわけです。都合のいい時は多様性を持ち出してきて、都合が悪くなると引っ込める。基準に当てはまらないからダメなんだって日本をディスるついでに、アラブもディスってみたりする。こういう記事を見ると、私もついついイラついてひとこと言いたくもなると、こういうわけでございます。

（2022年12月17日）

# 第4章

# あっち系の人々の落日

## 〝おひとりさまの教祖〟上野千鶴子氏の秘めやかな結婚

### 木漏れ日通りに建つエメラルドグリーンの山荘

皆さん、上野千鶴子先生をご存じでしょうか。社会学者にして東京大学名誉教授、「マルクス主義フェミニズムの旗手」と言われ、生涯独身を推奨したご著書『おひとりさまの老後』(文春文庫)がなんと累計130万部のベストセラーを記録したという大変な方でございます。

その上野先生が、なんとご結婚なさっていたというんですね。それがどうしたとおっしゃる方もいらっしゃるでしょうが、これから諄々(じゅんじゅん)とお話しいたしますので、しばらくお付き合いくださいませ。

私が見たのは『週刊文春』電子版の記事「〝おひとりさまの教祖〟上野千鶴子(74)が入籍していた」(2023年2月21日)。

そうだったのか。ふーん、なるほどと思い、気になったので全文読んでみました。

「フェミニズムの旗手にして、おひとりさまの生き方についてベストセラーを著してきた上野。2年前、彼女は、ある男性を介護の末、看取る。『結婚という制度がイヤ』と公言してきた上野は、彼と密かに入籍していた」というのが前文です。

いやあのね、上野千鶴子さんという方は結婚という制度がイヤだと言って批判してきた。そういうこと言う人って今でも結構いますよね。私が若い頃はフェミニズムというのが結構ブームでしたから、私自身もたぶん言っていたと思うんですけど、中学生から高校生、大学生ぐらいまでの女の子は「私は結婚なんかしない。なぜなら自由が失われるから」なんて言うことがカッコいい、いけていると思い込んでいた時代で、そのブームを牽引していたのが、この上野千鶴子さんという方だったんですね。

結婚という制度が嫌だというのはいいんですよ。どうぞお好きなようにってことですよ。でもね、上野千鶴子さんというこの方は違うんです。

ですが、その話はまた後でするとして、記事に戻ると、その上野さんはある男性と一緒に八ヶ岳に建てた家に住んでいた。お金持ちの方々ってなぜか八ヶ岳とか軽井沢がお好きですよね。セカンドハウスだか別荘だかを建てて週末はそこで過ごすみたいな、もうコテコテの金持の風情です。

で、「エメラルドグリーンの山荘が建てられたのは、今から25年前の夏のこと」って書かれています。え？　エメラルドグリーンの山荘って、どんな建物？　壁なの？　それとも何から何までエメラルドグリーンとか？　いったいどんな趣味だよって思うけど、それはともかく、25年前というと１９９８年とか、それぐらい。上野さんがバリバリの東大の先生だった頃のことです。記事は次のように続きます。

〈針葉樹林に囲まれた山道『唐沢木漏れ日通り』には、間もなく好一対の男女の姿が頻繁に目撃されるようになった。20余り歳上の男性に寄り添っていた女性は、フェミニズムの旗手で社会学者の上野千鶴子氏（74）だ。

「当時から彼女は月に２〜３回、勤務していた東大のある文京区本郷から八ヶ岳に通っていました。愛車のＢＭＷで深夜に出発し、中央道を爆走。『原稿執筆に没頭するため』とのことでしたが、実は恋い焦がれた男性に会いに行っていたのです」（東大関係者）〉

東大関係者って、誰だよお前。何をいまさらバラしてるんだよ（笑）って話ですが、だから、世の中に「おひとりさま」を広めた上野千鶴子は、実はおひとりさまじゃなかったということです。でもね、この人はいわゆる一種の恋愛至上主義者で、結婚はするな、でも恋愛はどんどんしろっていう、そういうお立場の方で、どんどん不倫しろ、略奪もしろと主張されていた方ですから、ここまでのところは言行不一致というわけでもないし、とくに問題はありません。で、文春の記事はまだ続きます。

〈2007年、『おひとりさまの老後』（法研）が約80万部のベストセラーに。〝おひとりさま〟シリーズは、実に累計128万部を記録し、その後も「おひとりさま」を冠した本を多数上梓。独身を貫く上野氏は〝おひとりさまの教祖〟として女性たちから絶大な人気を誇ってきた。

だが実は、そんな上野氏には秘された履歴がある。八ヶ岳の山荘の所有者として共に刻まれた男性の名。2人の関係を知る友人が打ち明ける。

「彼は2年前に亡くなっています。故人の意思で葬儀は行われなかったそうですが、火葬を取り仕切っていたのは上野さんでした。彼女は本当に憔悴していて見ていられないほどでした」〉

ハイ、この先は有料。有料会員にならないと読めないんですねー。お読みになりたい方は、ぜひお金を払ってお読みくださぃ。ちなみに、私は読みました。そうしたらいろんなことがわかりました。上野さんのお相手はどんな方なのか、独身だったのか、どういう経緯で結婚したのかとかね、実名入りでけっこう細かく書いてありますよー。

いや、別に誰が誰と結婚しようとそんなことはどうでもいいんです。日本は自由の国だから、両者の合意があれば誰がいつ誰と結婚しようと、他人がとやかくいうものではありません。

でもね、上野さんの場合は引っかかるんです。彼女は結婚という制度をずっと否定してきたわけ。彼女は大学の先生であり、研究者であるだけじゃなくて、むしろそれ以上に活動家なんですよ。彼女の奉じるイデオロギーを、それが正しいものとして世に広めるための活動をずっと行ってきた。今もしています。いわば東大教授という立場と肩書を利用して政治活動をしてきたんです。

一般の人たちに対して、「私、頭いいから、東大の教授だから、私の言うことを聞きなさい。あなたたちが知らないこと教えてあげる。結婚というのはね、実に愚かな制度ですよ。絶対にしちゃいけない」と吹聴するだけじゃなくて、ゼミの学生以外にも彼女の授業を聞く人はたくさんいますから、そういう東大の学生たちに対して、結婚という制度をさんざん批判し、否定してきました。その当人が実は結婚していたというのは少々問題ではないでしょうか。

例として、7年前のものですが、東洋経済オンラインの「結婚とは『一瞬が永遠に続く』という妄想だ」（2016年9月9日）という記事をご紹介しましょう。この中で、上野さんは結婚というものをこのように定義しています。

「自分の身体の性的使用権を、特定の唯一の異性に、生涯にわたって、排他的に譲渡する契約のこと」

だけど、結婚をこのように捉える見方というのは上野さんのオリジナルではありません。これは左翼の伝統的な結婚観で、マルクスとエンゲルスに遡るわけですよ。たとえば、エンゲルスは婚姻というのは奴隷制度だって言っています。女は結婚することによって男の奴隷になる、だから結婚なんかしちゃいけないというわけです。

結婚すると自由、とくに性的な自由が失われる。だから私は結婚しない。私は自由でありたい。結婚と引き換えに性的自由を売り渡すなんて信じられない、考えられない、意味がわからない。そういう風に公然と言い続けてきたのが上野大先生ですよ。

彼女は教壇に立ってたくさんの教え子にその考えを植え付け、ミニ上野のような研究者を大量に生み出して全国津々浦々の大学に送り込んだわけです。私の知り合いの中にも上野さんの弟子がいますよ。友だちじゃない、知り合いですね、ハイ。

とはいえ、お弟子さんたちにだって当然、結婚する人はいるわけです。普通は、結婚が決まると、お世話になった先生方に報告を兼ねてご挨拶したり、スピーチをお願いしたりするじゃないですか。そうすると、「おめでとう」って研究室のみんなで祝福することになりますよね。おめでたいことだから、当然です。ところが、上野ゼミでは真逆なんです。「大変申し上げにくいのですが、私、結婚することになってしまいました。すみません、ごめんなさい、申し訳ありません！」ということになるそうです。上野さんご自身が、そうおっしゃっているんですよ。教え子は上野イズムに逆らって自由を売り渡し、結婚という悪事に手を染めてしまったという罪悪感にさいなまれるわけです。ところが、実は先生も結婚していました、なーんだ（笑）という話です。

## 左翼活動家・上野教授の罪

要するに上野さんは嘘つきだったということになります。言っていることとやっていることが違うわけですから。しかし、こう考えれば彼女の言行不一致は理解できます。端的に言えば、彼女はビジネス左翼だったということです。どういうことかと言うと、自分はイデオロギー的には左翼というわけでは全くないんだけれど、お金が儲かるからビジネスとして左翼的言動を行ってきた。それなら彼女の主張と行動の整合性が取れます。

ベストセラーになった「おひとりさま」シリーズは私も何冊か買って読みましたから、私も彼女のビジネスにいくらか貢献しておるのですが、累計130万部近く売れたわけですから、ずいぶん儲かったはずです。これに関する講演会の依頼もたくさんあったことでしょう。我が家の近所でもやっていましたからね。こうして〝おひとりさま関連活動〟にいそしんだとしても、それだって儲かるからやっているだけで、本当は自分がどう考えているかは関係ない。その可能性が一つあります。

もう一つ考えられるのは、素直に考えて、実は彼女こそが典型的な左翼活動家なのだと、そういう解釈です。私はこちらが正解なんじゃないかと思っておるのですが、彼女の言動不一致、ダブルスタンダードこそが左翼の特徴であると理解すべきなのではないか。

では左翼とは何かということですが、左翼の活動家には一連の決まった行動様式というものがあるんですよ。まず、社会における敵を見つけるわけ。それは支配者であり権力を持つ者、たとえば自民党、時の政権、日本政府を敵だと認定する。そうして、その悪いやつらに虐げられた被害者を結集させる。「我々はあいつらのせいでこんなに貧しい、こんなに苦しい、こんなに生きづらい」と声高に叫んで、「私も被害者、あなたも被害者、みんなみんな被害者」と呼びかけて〝被害者〟を集め、「あいつらを倒して今よりもっと自由で平等な社会を作ろう」と呼びかけます。

そして、みごと敵を倒した暁にはどうなるかというと、自分たちが敵に代わって支配する側に収まります。レーニンもそうだし、ポル・ポトもそうでした。ジョージ・オーウェルの『動物農場』をお読みになった方もおられると思いますが、あの小説では、豚が動物たちを集めて反乱を起こし、人間を追い出して平等な理想社会を建設したはずが、豚たちが農場を支配し始め、豚はかつての支配者である人間と同じように二本足で歩くようになります。

結局、左翼の活動家が目指しているのは今より自由で平等な社会の建設ではなく、現在の社会を破壊して、自分たちがいまの世の中でおいしい思いをしている人々に取って代わろうという、それだけのことです。じゃあなんで、より自由で平等な理想の社会にしようとか言うのかといえば、理由は簡単です。

普通に生きている人たちに対して、「ちょっとみんな聞いて、聞いて。私、支配者になりたいの。みんなで一緒に政府を倒さない？」とかいきなり言ったって、「は？　あんた誰。バカじゃないの」ってことになっちゃう。これじゃ人は集まりません。だから耳に心地よい美辞麗句を連ねて、いわゆる弱者の皆さん、非抑圧者の皆さんを結集させ、一般大衆を利用して自分たちの目的を達成しようとするんです。

うまくいけば自分たちが新しい支配者として君臨できるわけだし、うまくいかなかったらいかなかったで、それなりにおいしいことがあります。それは何かと言えば、その活動自体がお金を生み出すんです。

たとえば文科省が研究者を支援するための科学研究費というものがあるんですが、「女性の解放」とか「ジェンダー平等」とか謳うと審査が通りやすいんです。私たちは虐げられている女性を救うための活動をしています、それにはお金がものすごくかかるんです、だからお金をちょうだい、みたいに訴えると国や自治体から補助金が出る。社会を転覆したり秩序を破壊したりする活動がうまくいかなくても、その言論活動、イデオロギー宣伝活動そのものがお金を生むわけです。

だから上野さんの罪がどういうところにあるかといえば、彼女は「憲法改正反対」とか「反安倍」の旗を振り、安倍さんの国葬にも反対したりしてきたけど、それもさることながら、おひとりさま本を売りまくり、「おひとりさまは素晴らしいことなんだ」と吹聴しつつ、実は結婚していたことです。

〝おひとりさま〟って具体的にどういうことかというと、結婚しない人、あるいは離婚した人という意味でしょ。それに子供もいない、あるいは縁が切れている孤立無援な人のことですね。ところが、「孤立とか孤独とか言うな、おひとりさまと言え」というのが上野さんの主張ですよ。そのせいかどうかはともかく、現在の日本にはおひとりさまがずいぶん増えています。

確かに、元気な時はおひとりさまって最高ですよ。誰の面倒を見るわけでもなく、時間はすべて自分のものだし、他人に煩わされることもありません。でもね、人は誰でも時には病気もするし、年を取ってくれば体の自由も利かなくなる。ひとりでいるのがだんだん不安になってきます。やっぱり結婚しておけばよかったかなとか、家族がいないのは寂しいなとか、ついつい考えてしまう。

そんな時におススメなのが、上野先生の「おひとりさま」シリーズです。読めば不安もスッキリ解消します。どうやって一人で生涯を終えるか、そのマニュアルを提示してくれていますから、上野先生の言うとおりにすれば安心です。やっぱりおひとりさま最高！

結婚して自由を売り渡した人たちはなんて愚かなんだろう。そういう優越感にも浸れます。

ところが、その上野さんご自身は結婚していて、文春が紹介していたあのエメラルドグリーンの山荘を相続していたわけです。これって怖いことじゃありませんか。

彼女のやってきたおひとりさま布教活動は、日本人の非婚・独身化、さらには少子化にいくらかなりとも関わってきたと私は思います。じゃあもし別の人が、たとえば私でもいいけど、私が上野先生と同じ東大の社会学部の教授という立場で、同じようにメディアに露出して全く逆のことを主張したり、政府に助言したりしていたらどうなっていたか。

「皆さん、結婚って素晴らしいことです。家族って最高です。子供を持つのは本当に楽しいことです」というふうに、上野大先生がおひとりさまを絶賛するのと全く正反対の活動を20年も30年も続けていたら、もしかしたら日本の少子化・非婚化は今よりマシな状態になっていたかもしれない。いや、可能性の話をしたら、どんな可能性でもあり得るけれど、私はそう思うわけ。

元気なうちはいいけど、人間は必ず老い衰えるんだよ。最期を迎える時に家族の存在って本当にありがたいよ。子育てをすると確かに自分の時間と自由を奪われるけれど、あなたもそういうふうに育ててもらったんだよ。そしてあなたも年を取ったらまた誰かのお世話になる。人間はそうやって回り回って今まで命をつないできたんだよって、そういうことを影響力のある誰かが言い続けていたら、どうだったろうと考えてしまうんですよ。

ところが、そういうことをすべて否定してきた〝おひとりさまの教祖〟上野千鶴子大先生ご自身は、なんとかさんという人と一緒に暮らして精神的な充足感を得て、最後には結婚という法的な手続きをとって愛する夫の最期を看取り、山荘を相続するという満たされた状態にありながら、信者たちには「結婚なんて奴隷制度と同じ」と言っていたわけでしょ。これはねぇ、やっぱりちょっとおかしいんじゃないの。

私だってかつては上野先生の読者でしたから、高校生ぐらいの時までは結婚なんてするものじゃないと思っていました。ずっと勉強を続けたいし、仕事もしたいから、自由な時間を得るためなら子供もいらないって。でも、人間の考えって変わるものですから、私も結婚しましたし、子供もいます。それでよかったと思っています。

結婚しないという選択をするのもその人の自由ですから、それを非難するつもりはありません。だけど、こうすることが正しい、こうすべきだって他人に強要する資格は誰にもない。そういう人がいたら、それがたとえ偉い大先生であっても、まず疑ってかかるべきだと私は思っております。

上野千鶴子先生がご結婚されていたというニュースを読んで、そのことを皆様にぜひお伝えしたかったということでございます。

（２０２３年２月22日）

## 国際テロ組織の親玉・重信房子氏が全国紙を通じて行った勝利宣言

**WE♡FUSAKO**

私、実は重信房子の専門家のように見られているところがあって、重信さんについて語らせたらまぁまぁ語りますよみたいな人間の一人なんです。

彼女は２０２２年５月に、20年の懲役を終えて刑務所から出てきたことが話題になって、メディアでいろいろと取り上げられたのでご存じの方も多いと思うんですが、彼女は１９７０年代に日本赤軍というテロ組織を組織した人です。といっても、もう日本赤軍を知らない方も多くなったと思うので、簡単にご説明しておくと、彼らは「世界革命戦争」を標榜（ひょう）（ぼう）してパレスチナで武装闘争を始め、海外で多くのテロ事件を引き起こしたゲリラ組織で、それを結成したのが重信房子という人だと、そういうことですね、ハイハイハイ。

で、そういう重信さんのことを大好きな毎日新聞が、こんなタイトルのインタビュー記事を載せていました。

「重信房子氏『人間ひとりひとりとは必ずチャンネルを合わせられる』」（2022年12月27日）

タイトルを見た瞬間、「は？」って固まるしかないでしょ。あなたとチャンネルを合わせる？　いや絶対ムリムリ、無理ゲーって感じ。そもそもひとりひとりとチャンネルを合わせるってどういう意味？　私なんかの世代だと、テレビのチャンネルを合わせるぐらいしか思いつかない。それぐらいしか日本語で使わないでしょ。

こういう意味不明なカタカナ語をぶちこんでくるのがあっち系の特徴の一つですよ。わかったようなわからないことを言い合って、「えっ、私たちチャンネルとチャンネルが合っちゃった、キャー！」みたいに喜ぶわけですが、どういう意味であれ、私は重信さんと「必ずチャンネルを合わせられる」ことはないと、そう思います。

なぜ毎日新聞がインタビュー記事にこんなわけのわからんタイトルを付けたかというと、それはもう、重信房子様が下々（しもじも）の人間を高い立場から指導してくださるという構造を前提としているからです。つまり、このインタビューは、お前たちも私とチャンネルを合わせ、共に立ち上がって権力と戦ってまいりましょうという重信様からの呼びかけなわけ。当世風の言い方をすればオルグですね。活動家が第三者を自分たちの政治活動に誘い込むための勧誘の言葉です。

私は、この毎日新聞の見出し自体がオルグであると、つまり毎日は重信房子のオルグに加担しているのだと考えました。毎日新聞を購読している私が、一読者としてそのように認識して口にすることには、とくに問題はないはずでございますよ。

では、本文はどのようなものかというと、次のように始まります。

〈1970年代に中東アラブを拠点に活動を開始し、ハイジャックや大使館占拠事件を起こした日本赤軍。その元最高幹部で、今年5月に懲役20年の刑期を終えて出所した重信房子氏（77）がこのほどインタビューに応じた。当時の若者の政治的反乱とは何だったのか。約100人が死傷したイスラエルのテルアビブ空港乱射事件をどう振り返るのか。重信氏が、獄中での生活から、現在の日本の景色まで、美術評論家の飯田高誉氏（66）を相手に語った〉

この文章もそうだけど、マスコミは重信房子さんという人を必ず日本赤軍の元最高幹部と紹介するんですが、彼女は日本赤軍というテロ組織を作った人ですよ。元最高幹部という肩書を付けるとなんだか偉い人みたいでしょ。ちょっと威厳すら漂っているというかね。こういう肩書を付けること自体に作為があるわけ。

しかも、この冒頭部で毎日新聞は、重信房子さんがやっていたのは「政治的反乱」だったと最初から規定して、それについて「当時の若者」を代表して重信様に語っていただくと、そういう前提になっているんです。

重信房子さんとか日本赤軍というものに寄り添い、彼女たちこそ正義だと捉えている毎日新聞の立ち位置は、この記事の随所に現れています。たとえばこういう部分です。

「日本赤軍は、赤軍派だった重信氏がレバノンに革命拠点を求めて出国後、74年に結成した。テルアビブ空港乱射事件（72年）、在マレーシア米大使館を占拠したクアラルンプール事件（75年）など数々の事件を起こした国際テロ組織とされている」

気がつきましたか、皆さん。「国際テロ組織とされている」ということは、つまり国際テロ組織ではないということですよ。重信房子さんと日本赤軍のやろうとしたことは正しかったにもかかわらず、〝国際テロ組織であると不当に評価されている〟ことへの隠そうとしても隠しきれない憤りが、この文章に現れています。

このインタビューをしている人は美術評論家の飯田高誉さんという方ですが、ではこの方がどういうスタンスで重信さんにインタビューしているか、それも実に明確です。読めばすぐわかる。この方は重信さんにこのように自己紹介を始めています。

「私は、高校生のとき、三里塚闘争に参加していたことがあります」

わかりますか？　この方、まず「オレもあんたの仲間だから」というふうに切り出しています。「オレも昔は活動してたから。あんたの敵じゃない、味方なんだ。安心してくれ」というわけです。そして、こう続けます。

〈成田の農村の人たちはもともと満蒙開拓団だった人たちが多い。満州に入植させられ、敗戦を迎えて帰国したら戻る田畑はありませんでした。その後、千葉の原野に行かざるを得ず、痩せた土地を耕してようやく作物が取れるようになった時、「空港を造るから出て行け」と政府から一方的なお達しが出された。

本当にひどいことが起こっている、と思いました。重信さんは明治大学に１９６５年に入学し、そこから活動を本格化させるわけですが、当時のどのような時代状況に動かされ

たのでしょうか〉

ほーら、来ました。当時の政治と社会状況があまりにもひどかったから、オレは活動せざるを得なかった。あなたも同じですよね、と語りかけています。時代が悪い、政府が悪い、権力は常に腐敗している、反権力は絶対的に正義であるというのは左翼活動家に共通したスタンスです。それを共有しているのが重信さんであり、飯田さんであり、毎日新聞なわけ。

そして、このイデオロギーを究極まで突き詰めて行動に転化させたのが重信房子です。組織を結成して、抵抗運動と彼らが呼ぶものを実践した。そうすると、世の中に一定数存在する反権力こそ正義だという人たちにすれば、重信房子というのは憧れの存在になっちゃうわけですよ。

自分も同じイデオロギーを共有しているけれど、自分はそこまではできなかった、重信さん、あなたは偉い、あなたはすごいという憧れ目線になってしまうんですね。だから、彼女が出所した時、塀の外で待ち受ける人たちがたくさんいました。メディアの人もいたし、「WE♡FUSAKO」と書かれた横断幕を掲げた応援団みたいなのまでいた。彼らにとって、重信房子は自分たちができなかったことを成し遂げたマドンナなんです。

## テロ活動を称えてやまない毎日新聞

重信さんは、飯田さんのインタビューに答えて、こんなことを語っています。

〈わたしが大学に入学したころは、戦後の民主主義という形で始まった、憲法に基づく日本社会が形骸化していく――、そんなことを実感する時代でした。「アメリカや日本の支配層は憲法を守らない」「民主主義なんてうそっぱちじゃないか」という態度が知識層を中心に広がっていった。ベトナム反戦運動も盛り上がり、「支配層に都合のよい搾取が続いている」と実感する、そんな時代でした〉

いやいやいや、支配層は憲法を守らないとか言っているけど、あなただって守ってないじゃん。民主主義なんて嘘っぱちだって、武器をとって武装闘争したあなたたちこそ民主主義の対極にいるじゃない。自ら率先して一般人に銃を向け、民主主義と正反対のことをやっている人たちに憲法とか民主主義を語られたくないわ。

……というふうに私は思うわけでございますが、重信房子さんにインタビューする人というのは、絶対そんなことは聞きません。そもそも彼女とイデオロギーを共有する人のインタビューしか彼女は受けませんから、当然です。「あなたのほうこそ憲法を守っていないのでは？」なんて誰も聞かない、そういうことになっているわけです。

アメリカや日本の支配層は憲法を守らない、民主主義はうそっぱちだという態度が知識層を中心に広がっていった、と言っているのはどういうことかっていうと、私、知識人ですから、知性のある人たちはみんな私と同じように考えていましたから、という意味です。逆に言えば、そういう意識を持たなかった日本人は全員バカだったと言っているわけですね、ハイハイハイハイ。

さらに重信さんは、「支配層に都合のよい搾取が続いている」と実感したそうです。搾取されているんだそうですよ。そうしてこう発言しています。

〈同時に、高度経済成長と共に、これまでの学究的な教育から産学共同路線へとかじが切られました。産業にふさわしい人間になることを期待される。でも、「人間とはそういうものではない、もっと根源的な存在なんだ」と私たちは思っていました〉

ちょっと待って。人間とはもっと根源的な存在だとか言いながら、あなた日本赤軍の幹部としてたくさんの殺人に関与してきましたよね。あなたが根源的な存在と言っている人間の命を、政治闘争にまったく関係のない根源的存在の命を奪ってきたじゃありませんか。直接手を下していなかったとしても、数えきれないほどのテロ事件を起こしておいて、全然反省してないの？

それでも彼女は、だって権力が悪いんだモン、私はその悪の権力と戦ったんだモン、だから私、間違ってないんだモーンって自己正当化を今も続けているわけです。

彼女のインタビューはまだまだ続きます。彼女は世界中の左翼仲間が集まった時に、NATOや日米同盟、日米安保に対して共に戦うと宣言し、その時、ああ、世界は一つになれるなと強く実感したといいます。

「『国際主義こそが世界の革命を一つにつないでいく力なんだ』と。集会の最後にみんなで自国の言葉で『インターナショナル』を歌ったのも感動的でした」「それがパレスチナにつながっていくきっかけになりました。この人たちと手を結べば絶対に勝てる、と。明るかったし、楽しかった」と当時の思い出を語っているんですが、そこからですよ。いきなり変なことになるのは。

「それが壊れていくのはやはり赤軍派に大きな責任があった」と彼女は言います。国際主義によって世界中の左翼が連帯すればNATOや日米安保も倒せる、みんなで手を結んで一緒に歌を歌えば勝てるという明るい見通しがあって楽しかったんだそうですよ。でもね、結局、うまくいかなかった。それは赤軍派のせいだったというんです。だから自分はそこから一抜けした。自分は関係ない。すべて他人のせいなんですよ。

ちょっとまぎらわしいんですが、「赤軍派」というのは、日本赤軍の前身にあたる組織で、よど号ハイジャック事件を起こして一部の幹部が北朝鮮に渡りました。重信さんは彼らと決別して日本赤軍を結成します。そして、残された赤軍派のメンバーが別の過激派組織と組んで結成したのが、あのあさま山荘事件や大量リンチ事件を起こした連合赤軍です。

この経緯を見ても、「明るかったし、楽しかった」どころの騒ぎじゃないことがわかります。怖いのは、重信房子が、本人は明るく楽しく活動しつつ、彼女のイデオロギーに賛同しない人、ともに楽しく明るくやっていけない人たちを、敵と認定することです。論争を挑むわけじゃありません。99人を殺傷したテルアビブ空港の銃乱射事件のように、敵と見たら直ちに武器を取って殺してしまうんです。

これまで自分がしてきたそれらすべてのことについて彼女は自己を正当化し、都合の悪いことは他人のせいにします。彼女は、「日本の外に出たからわかったことですが、日本人は幼少期の教育のせいか社会の中で特有の競争意識を持っています。その意識がセクト主義に強く反映されたのだと思います」と言い、あの連合赤軍が仲間同士で殺し合って12人が犠牲になった集団リンチ事件は悪いセクト主義で、その根源にあるのは日本の教育だと主張するわけです。いやいや、日本の教育を受けた日本人のほとんどは仲間同士殺し合いませんから。あんたたちと一緒にしないでください。

こんなふうに要所要所で彼女は日本下げをぶち込んでくるわけですが、さらに20年間の獄中生活についても、受刑者に対する態度がなってないと文句を言っています。

受刑者に対して憲法で禁止されている行為があった、国連が定めた獄中における最低待遇基準にも抵触すると所長に直訴したとか、改めなければ法務大臣に訴える、裁判に必要な資料も揃えると弁護士に告げたとかね。要するに私は獄中にあっても戦いを続けていたと言いたいらしいんです。

〈わたしは制度や体制に対する強い反対と、憎悪があります。でも、人間ひとりひとりとは、必ずどこかでチャンネルを合わせられると思います。通じないことはない、と確信しているところがある。むしろ向こう側にいる人たちと出会うことによって、そこにあるいろいろなことを知り、私たちのことも知ってもらいたい。そういう機会だと思って過ごしていました〉

これ、「向こう側にいる人たち」って刑務官のことを指しているんです。実はひとりひとりチャンネルを合わせられるといっていたのは、刑務所の看守の方々のことを言っていたんですねー、ハイ。

でもね、重信さんは受刑者で、それを見張るのが刑務官なのに、実は立場が完全に逆転しています。重信先生が、人間同士、必ずチャンネルを合わせられるんですよーとか言いながら、彼女から見れば無知で愚かな刑務官をオルグしている。これって、あってはいけないことじゃないんですか。

法律に反することをして逮捕され、裁判を受けて有罪となったんだから、刑務所で反省しなきゃいけないのが受刑者の立場なのに、重信さんは違う。愚かで何もわかっていないかわいそうな刑務官とチャンネルを合わせてこちらに引きこむという活動を20年間しておりましたというのは、これ、重信さんの完全なる勝利宣言ですよ。活動家の勝利宣言を見出しにして全国紙として報じる。それが毎日新聞です。国際テロ組織の設立者である彼女の言葉を、全く批判することなくタイトルにまで掲げる。それが毎日新聞なんです。

重信さんのお仲間である足立正生という日本赤軍の元メンバーが、安倍元総理の暗殺犯・山上徹也容疑者をモデルにした映画を作っているんですが、その完成版の上映が始まった時、「名古屋市中村区のミニシアター『シネマスコーレ』では朝早くから行列ができた」という記事を写真入りで報じたのも毎日新聞（２０２２年12月24日）でした。いったいどれだけの人が並んだのかと思って記事を読んだら、わずか20人弱ですよ。

あっち系のファンクラブが20人集まったから何だっていうんですか。それをあたかも大人気、絶賛上映中！　みたいな記事を書く毎日新聞って、どれだけ偏向しているのか。国際テロ組織・日本赤軍の活動を高く評価し、山上容疑者はよくやったと言わんばかりじゃないですか。それが毎日新聞のスタンスということですよ。

ところで皆さん、私が今回ご紹介した重信房子さんのインタビュー記事、ずいぶん長いなと思われたんじゃありませんか。ですが、実はこれ、前編にすぎません。続いて後編も公開されたんですが、いや、もういい、重信房子はもうお腹いっぱいという方もいらっしゃるかと思いますし、長くなりますので、続きはまた後日。今回はこれにてお開きと致します。

（2022年12月27日）

# 安倍元総理の暗殺犯を賛美する人たちの論理

## 朝日新聞が全社あげてリツイート

安倍晋三元総理の暗殺事件からちょうど半年の節目にあたる1月8日、メディア各社がこぞってこの事件を取り上げていました。予想されたことではありますが、ひどい記事がけっこう目につきました。なかでもひどいと思ったのが時事通信。それに、例によって朝日新聞です。時事通信もかなりのものでしたが、それは別の機会に譲るとして、ここはやはり真打・朝日の記事（2023年1月8日）をご紹介しないわけにはいきません。

タイトルはこうなっています。「『時代に敏感、感情任せでない犯行』安倍氏銃撃、容疑者の投稿分析」

容疑者の山上徹也という人はツイッターをやっていたそうです。そこに残された投稿を、犯罪心理学が専門だという東洋大学の桐生正幸教授が分析する、というのが記事の主旨なんですが、その内容以前に、まず見出しが問題です。

というのは、これ朝日の有料記事だから。そう、朝日にお金を払っている人しか読めないわけです。つまり多くの人は、「時代に敏感、感情任せでない犯行」というタイトルぐらいしか見ません。そうすると、このタイトルからどういう印象を受けるか。

「時代に敏感」という語句からは、いま日本と世界で起こっているさまざまな問題に対して意識的な、知的レベルの高い人だというイメージを抱くでしょ。少なくとも、「あの人は時代に敏感な人だ」という言い方は褒める意味で用います。そして「感情任せでない」という言い方には、衝動のままに動くことのない、熟慮のすえに行動する人だという一種の信頼みたいなものが込められています。簡単に言えば、朝日は山上容疑者を褒めているわけです。

そして、安倍総理暗殺犯を称賛するかのようなこの見出しを、朝日新聞社の総力を挙げてリツイートしているんです。朝日はこんなにたくさんアカウントを持っていたのかって驚くぐらい、大量のアカウントがこの記事を何度も何度もリツイートしている。関心があれば皆さんも検索してみてください。すぐにズラーッと出てきます。

まず「朝日新聞」というアカウント、それから「朝日新聞デジタル」、「朝日新聞大阪版」、「朝日新聞官邸クラブ」、「朝日新聞ニュース4U取材班」に「朝日新聞デザイン部」、それに「朝日新聞社会部」、「朝日新聞大阪社会部」のアカウントですね。それに経済部の部長とか、ナントカいう弁護士、それにスペシャルゲストとして東京新聞のスター記者、あの望月衣塑子さんもリツイートしています。

私が数えただけでも、このニュースを一つのアカウントが10回以上リツイートしている。もう超必死こいてどうにかしてこの記事を世の中に広めようとしているわけです。残念ながら、朝日が期待したほど広まらなかったみたいですが、朝日の必死さだけは伝わってきました。

で、その内容ですが、記事によると、この山上徹也という人は2019年の10月から2022年の6月までの3年足らずの間に、なんと1363件のツイートをしているそうなんです。で、犯罪心理学がご専門の桐生教授という方が、その膨大なツイートの中から、よく使われている単語を抜き出して、使用頻度が高いほど大きく表示される図を作成しました。朝日はそれらの文字を、マスクをして伏し目がちの山上容疑者の顔と一緒に、もっともらしく掲載しています。

どんな文字が表示されているかというと、いちばん大きいのが「政権」と「日本」。次に大きいのが「安倍」とか「統一教会」、「自民党」「集団的自衛権」。そういった大小いくつもの単語が、黒い背景に白い文字で浮かび上がっています。

この画像を見た時に、私はすごく不気味なものを感じました。容疑者の顔の横に単語を羅列したこの画像には、あたかもこの人の見てはならない脳内を覗き見たような錯覚に陥らせる効果があります。サブリミナルじゃないけど、とにかく何か気持ちの悪い効果をもたらす画像なんです。

こういった単語を分析して、桐生教授はこう結論付けています。

「これらの投稿を見ると、単に妄想や感情にまかせて犯行に及んだものとは考えにくい。国や政治、世界に対して興味関心もあり、自分の意見を述べることができる人、時代の情勢に敏感で、問題意識が高い人ではないかと思われます」

これ、はっきり言わせてもらえば因果関係がまったく意味不明です。国や政治、世界に対して関心があって、それについて自分の意見を述べている。それはわかりますよ。でも、だからといって彼の行動が妄想的でない、感情的でないとなぜ結論付けることができるんですか。

私はむしろ逆だと思います。ツイッターでもよく見られることですけど、ある特定の観念とか思想とかにとらわれている人ほど、社会とか政治については超敏感です。過敏と言ってもいいくらい、ありとあらゆることについて懸命にツイートするんです。自分が囚われている特定観念に過敏で、それこそが世界の真理であると、自分もしくは他者を納得させるために妄想を撒き散らす。この記事で紹介されている山上という人のツイートを見る限り、彼はむしろそっちだと私は思うわけですよ。

世の中で起きているあらゆる理不尽なことはすべて政治が悪いせいだという、朝日や毎日がいつも流している考え方に影響されて、何かに関心を持つたびにやっぱり政治が悪いんだ、社会が悪いんだという方向に思いが向く。統一教会にひどい目にあったのも、いつも朝日や毎日が批判している安倍のせいだ。彼はやられても仕方がない、だってあいつが悪いんだからっていうふうにどんどん妄想をたくましくしていく。そのプロセスが彼のツイートから読み取れるように私には思えたわけ。

ええ、私は犯罪心理学の専門家じゃありませんよ。単なる場末の中東研究者にすぎませんから、ド素人が何を言っても説得力がないことは重々承知です。しかーし！　安倍元総理暗殺犯は思慮深い人間であるという「専門家」の意見を、権威あるものとして朝日新聞が全社総出で広めようとしていることには異論があります。

## 京アニ放火は逆恨み、安倍元総理銃撃は世直し

山上容疑者は衝動的に行動したんじゃなくて、綿密に計画を練って、銃器を自分で作って、あれこれ下調べをしてから実行に及んだことは、さんざん報道されたから誰でも知っていますよ。日本の刑法では、計画的犯行は衝動的な犯行よりも罪が重いとみなされます。ところが、桐生さんという専門家の手にかかると、山上容疑者の場合は、問題意識を持った知的な人間による世直しのための捨て身の決起だということになる。それって、日本赤軍の革命運動のようなイメージに近いのではないでしょうか。自分は本当はこんなことしたくない、でも世の中が、政治が、世界がこんなにも悪いから、しかたなく自らを犠牲にして決起したのだ。これでしょこれ。このイメージに非常に近いものを私は感じたんですよ、心理学は素人だから、一読者としてね。

それだけじゃなくて、桐生さんという教授は、あの２０１９年の京都アニメーション事件と、２０２１年の北新地クリニックの放火殺人事件について、「社会への漠然とした不

安感を抱え、逆恨み的な攻撃で問題解決を図り、多くの人を巻き込んだ犯罪だった」と断定しながら、安倍元総理の暗殺事件はそれとは違うっていうわけ。

何が違うかというと、山上容疑者には自制心が窺われるんだそうです。自制心ですよ。それから、京アニとか北新地クリニックのような感情的で衝動的で短絡的で、多くの人を巻き込んだどうしようもない事件に比べ、山上容疑者の犯行の背景には思想とポリシーがあり、客観的な計画がある。しかも誰も巻き込んでいないとも言うわけ。他の事件とは別格なんだと言わんばかりです。桐生教授はこう言います。

「犯罪は、その時代を映すネガティブな鏡のようなもの。今回の犯行形態は、時代の変わり目に出現するような、社会のあり方や価値観が混乱しているような時期に見られる犯罪ともとらえられる。近年の一連の犯罪傾向とは異なるものと考えられる」

ちょっと意味がわからない。だって、安倍元総理の暗殺事件は思想性があって冷静で計画的だから混乱した時代を映す鏡であって、近年の一連の犯罪傾向とは違う……ということは、感情的で衝動的な京アニほかの事件は、混乱した時代を反映していないことになる。これ逆じゃない？　混乱した時代には冷静で客観的な犯罪が増えるの？　私には論理が破綻しておるとしか思えません。

一方、桐生教授は、山上容疑者のツイートの文章には「論理が大きく破綻（はたん）したところも見られない」と言っています（笑）。「当然、犯行を実行した認知は偏り、歪んでいるわけですが、本人なりの一貫性は保てていると言えるんじゃないでしょうか」と。

いや、認知は偏り歪んでいるが、論理は破綻していないというのは論理の超飛躍じゃありませんか。偏り歪んだ認知、一般にはそれを「論理の破綻」と言うんじゃないの？

この山上容疑者のアカウントは、事件発生の前はなんとフォロワー数ゼロだったそうです。ゼロというのもすごいですよね。彼のツイートを定期的に見る人は誰もいなかったということですよ。それが事件後にはフォロワー数が約４万５０００になったというんです。

そして彼の１３００以上にも及ぶツイートに複数のリツイートや「いいね！」が付き、拡散されていったというわけで、これについて桐生教授はこのように分析しています。

「この事件は、これまで私たちが見て見ぬふりをしてきた、変だなあと感じながらも言葉に出せずにいた部分を揺さぶる要因があったのかもしれない。彼の犯行に、決して賛同してはいけないと思いながらも、今の社会を考えた時に共感してしまうところがあったのではないか」

山上という人は隠蔽されてきた社会の巨悪を暴いた。だから彼に共感する人がいるのも当然だという見方です。さらに続けて……。

「ツイートの背後に日本社会の閉塞感に対する憤りが感じられ、そこに反応した。政治のあり方、差別、女性蔑視、戦争といった多くの課題を抱える世の中に目を向けさせた。ひるがえって、漠然と感じていた息苦しさに気づき、それらの課題を無視することのリスクを感じた。そんな気持ちが『いいね』の形になって現れてきているのかもしれません」

だから、この犯罪心理学の専門家の目には、山上容疑者はこの世の悪に敢然と立ち向かう正義の味方のように映ってしまっているわけ。でも、犯行後の彼の証言というのは公式な形ではまだ明らかになってないはずですよ。にもかかわらず、「山上のツイートを分析したから、もう全部分かってしまった」みたいな言い方はおこがましいのではありませんか。

この事件の直後に私がすごく気になったのは、彼は社会の犠牲者だ、同情に堪えないとあっち系の人が盛んに言っていたことです。それもおかしな話なんですが、でも、徐々に論調が変わってきて、彼がやったことは悪いことだが、そこに一定の価値を認めるべきだ、彼はなかなかのことをやったんだという賞賛の論調が非常に増えてきているように私は感じています。

でも、さっき言ったように、山上容疑者の証言はまったく公表されていないんだから、マスコミやらあっち系の人たちが勝手に褒めているわけです。つまり、そういう人たちが自分のお気持ち、こうだったらいいなっていう願望を容疑者に投影しているにすぎません。この記事もそうだし、山上容疑者をモデルにして『REVOLUTION＋1』とかいう映画を作った元日本赤軍のメンバーがいたり、宮台真司という都立大学の教授が「山上容疑者のやったことは世直しとして機能している」と発言したり、手放しで褒めることはさすがにしないけれども、彼のやったことに意義を見出す、価値があったと論評する人が増えてきています。

これはダメだと思う。何らかの理由、あるいは思想、ポリシーがあれば犯罪は許容される、あるいは許容されないまでも、そこに意義を見出し、積極的に評価しようとするリベラルなメディアの論調は、犯罪を助長し、世の中に暴力をはびこらせることになると私は考えているからです。

にもかかわらず、朝日新聞は、犯罪を助長する記事を、大学教授という肩書で権威づけ、社の総力を挙げて全国に広めようとしておるということですよ。それがア・サ・ヒ――ということですね。あっち系の人々とメディアが共闘する日本の社会。問題は根深いんでございますよ。

## 真木よう子さんが「日本人で恥ずかしい」理由を考えた

（2023年1月11日）

### ミシェル・フーコー的発言

真木よう子さんという女優さんがいらっしゃいますね。私はテレビをあまり観ないので、細くて小柄できれいな人だなという漠然とした印象しかないんですが、あの方が、韓国のメディアのインタビューに対して、「自分が日本人であることが恥ずかしい」みたいなことをおっしゃったというニュースを耳にしました。

彼女がどういう理由でそう発言したのかはわかりませんが、私はそういう話を聞くと、パッと閃（ひらめ）くんです。これはフーコーだと。振り子じゃありませんよ。ミシェル・フーコーというフランス人の哲学者です。

これがまぁとんだ食わせものなのですが、私がいつも言う「あっち系」の人たちというのはフーコーが大好き。どうしてかというと、フーコーという人は「世界というものはすべて権力構造で成り立っている」と主張したからなんです。

権力構造というのは人種差別とか性差別とかの形をとって現れる。というか、人種差別とか性差別といったものの中に権力構造を読み取ることができると、そういうことを言った人なんです。真木よう子さんが果たしてフーコーを読んでいたか、知っているかどうかということとはかかわりなく、あっち系の世界認識のなかにフーコーの影響というものが深く浸透し、時として色濃く表れることが、女優さんのこういうちょっとした発言からも感じられるわけです。

どういう世界認識かというと、世界というのはすべて権力構造、差別構造、抑圧構造、支配の構造で成り立っているという考え方です。そういう認識のしかたをするのが、いま流行っていますよね。そういう認識で社会とか世界を見ていると、なんかこう進歩的な人みたいに思ってもらえる。アメリカ的な言い方だとウォーク（WOKE）というやつですね。「よし、お前は「目覚めている」感じ？　日本語だと「意識高い系」みたいな言い方ですね。意識が高い」みたいな感じになるわけですよ。

この認識に立って日本人を見ると、こうなります。日本人というのは、日本人であるというだけで、抑圧する、支配する、差別する、悪い権力者であると規定されるわけです。

それに対して個々の日本人が、「私は別に誰のことも抑圧していませんし、支配もしていないし、権力なんか持っていません」と反論しても、その反論には何の意味もありません。なぜなら、その認識の中では日本人はそういうものとして規定されている存在だからです。日本人である限り、いま生まれたばかりの赤ちゃんでも、もう差別・抑圧する側の悪い権力者とみなされるわけです。

そうして、かつて日本に統治されていた地域の、現在では日本人ではない人が被抑圧者で善良な弱者ということになります。そのように規定されるわけですね。

で、ここが重要なのですが、ウォークな、目覚めたフーコー的世界認識、社会認識の中でわれわれ日本人はどうしたらいいのかといえば、それは真木よう子さんのようにふるまえばいいわけです。

「私は日本人で恥ずかしい」と懺悔する。つまり自分の罪を認めてしまうのです。そうすることによって、日本人という悪い集団から「一抜けた！」と言うことができる。そうして、日本人が抑圧し、差別している「弱者」として設定されている人たちに寄り添う姿勢をとることによって、正義の側に立つことができる。自分は日本人という悪い属性を持って生まれてきたけれど、それに気づいて反省して懺悔したから、もう悪の集団から一抜けして、弱者の善たる性質を帯びることができる、というわけです。これはおトクですね。

アメリカで言われるウォークという人たちもまさにそれです。アメリカの場合、いちばん悪い属性というのは白人であること、男性であること、そして女が好きな異性愛者であることです。これはもうアメリカでは最低最悪の、抑圧する、支配する強者、権力者と位置づけられます。

では白人男性の異性愛者はどうすればいいかというと、「自分は悪い属性を持った悪い人間です。誠に申し訳ありません」と懺悔して、そのかわり「私は女性の味方です。マイノリティの味方です」と猛烈にアピールする。それだけでは足りません。悪い属性を反省しない、目覚めていない白人男性を非難する必要があります。「お前たちは何で抑圧者であることに気づかないんだ」と怒りとともに非難することで、白人男性でオンナが好きというサイテーな存在であっても、その悪い集団から一抜けしていい人になれる。正義の側にいられるようになります。バイデン大統領だってそうしています。

## この世は権力構造でできている

毎年11月19日は「国際男性デー」だそうです。そういう日があるということをつい最近知ったんですが、それに関連して、ツイッターで、「こういう日にこそ自分たち男性は積極的に差別や加害をなくし、ジェンダー平等社会にふさわしい男性をめざしていきましょう」というツイートを見つけました。この人はどうもMen with Womenなる運動をしているらしいんです。この人の性的指向はわかりませんが、「自分は女性に寄り添います。自分は女性の味方です」と男性が声高に叫ぶのは、真木よう子さんの言っていることと基本的に構造は同じです。

つまり、抑圧する、支配する、差別する、強者であり権力者であることを素直に認め、懺悔して、女性に寄り添う姿勢をとれば、その男性は悪い仲間から一抜けできます。そして「俺は男だけれどいい人なんです。正義の味方です」ということができるわけですね。

いま、これをやっている男性はすごく多いですよね。会社や自治体の偉い人、企業家や政治家にはとくに、「私は女性の味方です」「フェミニストです」「ジェンダー平等を目指しますと」とか、そう言う人がいっぱいいます。いま話に出たMen with Womenの活動をしている人は、男はこうあるべきだ、みたいな男性行動基準15カ条というのを掲げていて、その第1条は「地位や席を女性と分け合おう」となっています。

そうですか、そうですか。こういうことを言う人もけっこう多いですね。女性が輝く社会とジェンダー平等実現のため、男ばかりが高い地位を独占するのはやめて、女性を厚遇しましょう、とかね。であれば、それを実践している男性もいるはずです。「私は女性の味方です、女性と地位を分け合わなければいけないと考えるので、私は今日を以て社長を引退して、この座を女性に譲り渡します、どうぞ」とか言ってジェンダー平等を実践している男性もいるのかもしれません。

でも、私が知る限り、フェミニストとか女性の味方とかジェンダー平等を標榜しながら、積極的に自分の地位を譲って女性を輝かせている方はどうも見当たらないようです。私の大好きな朝日新聞の社長さんとかね。私、いま何という方が社長さんをしているのか知りませんが、確か朝日の社長さん、男性でしたよね。朝日が率先して範を垂れてみたらどうかと思うんですが、やりませんね。

じゃあ、なんでそんな心にもないことを言うのかというと、それが保身になるからです。つまり自分の身を守るために女や弱者を利用しているわけです。「私は男です。しかし！私は弱者の味方です。女性の味方なんです」と表明することによって、いまの立場に安穏として居座り続けることができる。自分の保身のためにフェミニストを名乗る。女性の味方、弱者の味方を装う。こういう構造になっているわけですね。わかりやすい人たちです。

最初にお話しした真木よう子さんがどういう趣旨で「私は日本人であることが恥ずかしい」と言ったのか、ご本人にうかがってみないとはっきりしたことはわかりませんが、彼女がそういうことを言う背景に、あっち系的世界認識、つまりこの世はすべて権力構造であるという考え方があることは明らかです。

あっち系の人たちは家庭にも権力構造を見出します。夫婦の場合は夫＝男が「支配する」という悪い属性を持ち、妻＝女は支配され搾取される可哀想な弱者です。そういう認識はマルクス＝エンゲルスの時代からあります。はっきり言えば、フーコー的世界認識は形を変えたマルクス主義です、それが今、マルクス色を消しつつ広く深く浸透しつつあるのです。

しかし、家庭にせよ社会にせよ、人間のいるところには権力構造、支配構造、被抑圧構造というものが必ず存在するのだという考え方は、決して人々を幸せにしないと私は思っています。

だって、普通に暮らしている奥さんが「あなたはあの男の妻であるというだけで夫に支配され、差別され、抑圧され、搾取されているのだ！」とか言われたら、私なら「そんなわけないでしょ。もしかしたら逆かも（笑）」と返しますが、「そうだ、私は搾取されているのだ」と〝目覚めて〟しまう人もいるかもしれません。そうすると、そこからもたらされるものは、まぁまぁ不幸だけですよ。その後、その夫婦、その家庭がうまくいくという未来はなかなか想定しづらいものがありますね。

そんなわけで、私はあっち系のものの見方、フーコー的な世界認識というものがとても嫌いです。自分は目覚めた存在だ、社会に貢献している、私はいい人なんだ、自分は正義の側にいるみたいな顔をしていても、私にはどうしても、それって自分のためじゃん、みたいな構造が見えてしまうのです、

真木よう子さんが韓国のメディアにそういうことを言ったというのは、韓国に対して一種の媚びを売ったというか、韓国でお仕事をしていくためのちょっとしたリップサービスだったりするのかもしれませんが、まぁまぁまぁ、これはフーコーだなと私は思ったということですね。

（2022年11月19日）

## 「AKBではなくBTSを目指せ!」という河野太郎の時代遅れ

### お嬢さん、甘えるのもほどほどに

朝日新聞は毎日毎日おかしなことを書いてくれるので、もうご紹介が間に合わないくらいなんですが、今回のこの記事はホントにヤバイですよ。ビビりますよ。超えちゃいけない一線をついに越えたか朝日、みたいな。しかも1面トップ記事ですよ。そのタイトルがこれです。ジャーン!

「AKB48とBTSの違いは? 河野太郎氏が若者へ世界標準のすすめ」(2023年1月3日)

この記事、いきなりこんな質問から始まるんです。

〈【質問】なぜ日本はこんなに希望が持てない国になってしまったのですか(29歳女性)〉

これに対して河野太郎氏が回答するという体裁をとっているんですが、いや、そもそもこの質問、おかしいでしょ。これ質問じゃなくて、この人の感想じゃん。日本は希望が持てない国だって、この人が勝手に思っているだけじゃないですか。質問の体裁をとってはいるけれど、実は、「私が思うに日本は希望の持てない国である」という主張であって、一つも質問の要素がない。本当にこんな〝質問〟をした人がいたのかどうか、怪しいものです。朝日が勝手に捏造したものではないかと私は疑っておるのですが、〝質問〟の内容を一応そのままご紹介します。

〈札幌市のすし店で働いています。時給約９５０円で月収は10万円ほど。店は常に人手不足で、仕事が終わるころはくたくたです。正社員とアルバイトで同じ仕事をしているのに賃金が大きく違うのも不満です。以前働いていたカナダの日本食レストランの時給は２千円近いこともあり、人手も不足していませんでした。なぜ日本は、こんなに働きにくく、希望の持てない国になってしまったのでしょうか。すし職人としての技術を学校で学び、普通の暮らしがしたいので日本を脱出します。（札幌市・アルバイト女性 29歳）〉

どうぞご勝手に。私が回答者ならこう答えます。「日本脱出？　どうぞ、どうぞ。頑張ってね。行ってらっしゃーい」。ハイ、おしまい。

おや？　よく見ると、引用した文章のあとに「この女性が日本脱出をめざす詳しい理由とは↓」というテキスト部分があります。クリックしてみると、「29歳すし職人、海外で夢見る普通の暮らし　時給2倍以上に託す希望」という関連記事に飛ぶようになっているんです。なんだ、この質問者の記事が別にあるのかと思って、そっちを読んでみると、いろいろと辻褄が合わないところがあって、ますますヤラセ感が強まります。まぁそれはともかく、そこにはこんなことが書かれています。

この人は札幌のすし屋で週4日、午前10時から6時までバイトして、時給が950円。月収が10万円にしかならないという不満を持っている。でも、長年ここで働いているというわけじゃなくて、バイトを始めてからまだ1カ月しかたっていません。ちょっと待ってね。朝10時から6時までということは、おそらく途中で1時間くらい休憩時間がありますよね。とすると実働1日7時間で週4日働いて月収10万円。私もさんざんバイトしてきましたが、まぁ妥当なところじゃないんですか。

ところで彼女は、この寿司屋でバイトする前に、な、なんと東京・新宿にある東京寿司アカデミーというところで3カ月、寿司職人になるための勉強をしたというわけ。学費は3カ月で100万円。けっこうお高いけれど、でも「安くはないが、学校を卒業したら即戦力として寿司店のカウンターに立てる」んだそうです。たった3カ月勉強しただけで、ですよ。

そこで彼女は思い立って100万円を払い、寿司アカデミーで修業というか勉強をして、めでたく卒業して札幌の寿司屋でバイトを始めたというわけです。

実はそれまでにも彼女の人生には紆余曲折があって、高校卒業後は専門学校に行って歯科衛生士の資格をとり、歯科医院で働き始めました。だいたい年収300万だったそうです。でも、希望がないとか未来がないとか言って2年でやめてしまう。

それでどうしたかというと、小さい時から海外で働きたいという夢を持っていたので、親から金を借りてオーストラリアのシドニーに語学留学する。その後なぜかカナダに渡って日本食のレストランでバイトをした。そのときの時給が2000円だったというわけ。当時、カナダドルでいくらだったのかわからないけど、とにかく円換算で2000円もらってウハウハだったんだけど、コロナで店が潰れてしまったので、札幌の実家に帰った。そこから寿司アカデミー経由で札幌の寿司屋に勤めるようになったと。そういう経緯があります。

はっきり言えば、ここまで学校と職を転々としてきたわけ。その間に身に着けたスキルは結局、寿司アカデミー3カ月だけでしょう。でもって彼女の不満はこういうことです。日本は時給が安い。カナダでは２０００円だったのに９５０円しかくれない。日本は正社員とバイトの間に格差があって、バイトが差別されている。カナダには差別はない！――というわけ。私はカナダに行ったこともないし、カナダの事情はよくわからないけど、彼女ははっきりそう言っています。それに、カナダはそこそこ暇だけど、日本は人手不足で忙しい。これが不満の材料です。

彼女はこれすべて日本という国のせいだ、私がこんなにつらいのは日本が働きにくいところだからだ、日本は希望の持てない国だというわけです。ここまでですでにいろいろおかしいですね。河野太郎の前に、彼女がもうすでに問題です。

彼女の言っていることが本当だとして、いまのあなたの時給がたいしたことなくて稼げないのは、要するにあなたの責任です。スキルだって、たった3カ月の東京寿司アカデミーだけでしょ。私、お寿司屋さんに知り合いもいないから、どれくらい修行すれば一人前の寿司職人になれるか知らないけど、でもね、お寿司屋さんに限らず、コックさんでもパン屋さんでもお菓子職人でも、どんな食の世界だって、３カ月勉強しただけで一人前に扱ってくださいとか、プロとしての給料をくださいと言ったところで、そんなことが通用するところはないんじゃないでしょうか。

学校で勉強して、食品衛生士とかの資格を取って、お店で皿洗いとか野菜の皮剥きとかの下働きをしながら、先輩たちの仕事を見て勉強して、苦労を重ねてだんだん一人前になっていくものじゃないんで・す・か！　いろんな職を転々としながら「外国へ行くのが夢なんですぅ」とか言って、外国でもらった時給が札幌の寿司屋の倍だったからって、それがどうした。本当に寿司職人になりたいんだったら、寿司アカデミーとか行ってないでお店で一から修業しなさいよ。甘えるんじゃないよって話です。

私は簡単に身に着けられるスキルとか、数カ月でゲットできる資格とか、基本的に信用していません。誰でも数カ月で簡単に身につくような資格を取ったからって、それ、どれほどのものなの、本当に役に立つのって疑っているからです。そんなの当然ですが、いわゆる「学び」業界が金儲けというか事業としてやっていることで、それで一人前になれると思うほうがどうかしています。

私にしたって中東の専門家ですとかイスラム教の専門家ですとか言っているけど、ここに至るまでにどれだけ勉強したか。それこそ、みんなが就職して仕事のスキルを磨いている間も、バイトしながらずっと学生として勉強していたわけですよ。イスラムアカデミーとかで3カ月勉強して、ハイ、専門家でーすって言ったって、そんなもん通用するわけないだろ、バーカバーカ。

だから、この「札幌のアルバイト女性」の場合、これは自己責任だなと思うわけ。あなたがこういう人生を送ってきたからいまのあなたがあるわけで、別に国のせいじゃないでしょ。ところが！　それは自己責任ではないよ、すべて国の責任なんだよ、というのが朝日イズムです。だから、アルバイト女性の質問という体裁をとっていますが、どう考えても朝日がデッチ上げた内容であるとしか思えないわけですね、ハイハイハイ。

## 80億の世界より超独自な世界

このリアリティゼロの怪しい質問に対する河野太郎氏の回答がまた、なんとも意味不明です。

【問】なぜ日本はこんなに希望が持てない国になってしまったのですか。

【答】これからの日本人はＡＫＢではなくＢＳＴを目指しましょう♡

さあ、これが河野さんの回答です。そのココロは……河野さんの言葉を見ていきましょう。

〈私は最近、大学生の前で講演するとき、こんな話をしています。

自分の将来を考えたとき、日本の1億2千万人を相手にするのか、世界中の80億人を相手にするのか。ＡＫＢ48は努力して成功したけど、同じように努力して成功したＢＴＳは最初から80億人を見ていた。やっぱり最初から差がつきますよね。若い人は、自分の可能性が水平線の内側だけじゃなくて外側にもある。だから、いろんな機会をとらえて一度は、世界標準で勝負することを考えてほしいのです〉

何を言っているのか全然わかりませんね。私だったら彼女にこういいますよ。専門学校や留学の費用を出してくれたお父さんお母さんは、あなたがいまバリバリにディスっている日本で働いてあなたのこと育ててきたんですよ。それがわかっていてカナダに行きたいって言うのなら、どうぞご勝手にって。

だけど、河野さんはこう言っているんですね。「カナダに行くのはいいことです。これからの若者はＡＫＢじゃなくてＢＴＳをめざさなければいけませんからねー。あなた素晴らしい〜。頑張ってくださいねー」。

質問者も質問者なら、回答者も回答者です。まずね、いまさらＢＴＳのように世界を目指せとか河野さんに言われなくても、世界で活躍している日本人はもういくらでもいるわけ。ＢＴＳとか言うんだったら、たとえばシンガー・ソングライターの藤井風ですよ。

彼の歌は、音楽配信サービスＳｐｏｔｉｆｙ（スポティファイ）のグローバルデイリーバイラルチャートで２０２２年、世界23カ国で１位になっています。バイラルというのは、ある瞬間、いかに多く再生されたかということだから、その時、世界でいちばんたくさん聴かれた曲が日本人の藤井風の歌だったんです。

ちょっと変わった人のようではありますが、もう才能の塊って感じですよ。幼い頃からひたすら音楽の道を突き進んできて現在に至ったのが藤井風というアーティストです。希望がないからオーストラリアに行こうかなぁ、カナダでバイトしようかな、お店つぶれちゃったー、札幌に帰ろう、あ、東京寿司アカデミー入っちゃおーみたいな人とは違う。

そういうアルバイト女性に、あなたが目指している方向は正しい、これからはＢＴＳの時代だってアドバイスするのはピントがズレまくり。バカにしているんじゃないかとさえ思えてきます。

この記事に顕著な、日本はもうダメだ、希望が持てない、オワコンだっていう日本ディスりの朝日の論調自体がすでにオワコンです。朝日は、日本はダメだと主張することが知的だと思っている。自分は日本人でありながら、日本を超えた存在で、日本という国を超然と見下ろしていると勘違いしているんです。

でもね、日本をディスるだけで食べているのは朝日新聞くらい――いやいや朝日が本当に言論だけで食べられているかどうかはわかりませんが、朝日と、それからあっち界隈の一部の左翼業界だけですよ。だって今どきの子供や若い人の心には、それ通じませんから。自分が生まれ育った国のことを、いま自分が一生懸命に楽しく生きているこの日本を、ダメだとか希望がないと言われても、何を言ってるんだろって感じですよ。

子供や若い人は、自分たちにとって身近な、藤井風のような日本人アーティストや、「にじさんじ」みたいな日本生まれのコンテンツや、日本アニメが世界中で人気があるのを知っています。

ウチの娘の友だちには外国人が多くいて、娘が日本語をしゃべると羨ましがられる。日本語ができると、日本アニメをそのまま楽しめるし、藤井風の「死ぬのがいいわ」の日本語の歌詞の意味もわかるからです。日本のコンテンツは大人気だから、これからの子は世界に出ていくと「日本人でいいな」みたいに言われることが多くなるでしょう。そういう世界を生きている今どきの人たちに、「日本はダメだ、オワコン」だと必死に叫ぶほうが逆にオワコンなんですよ。

もう一つ、河野太郎さんが言っていることのなかで、とくにおかしいのは次の発言です。

〈あなたがアルバイトをしながら感じているように、日本が人手不足に陥っている原因は大きく二つあります。一つは、日本の少子高齢化のスピードが想定よりかなり早いことです。もう一つは、カナダのように、技術や実力のある移民を受け入れる仕組みがなかったことです〉

これおかしいでしょ。だって、この質問者が、バイト先のお寿司屋さんが人手不足で忙しいと不満を言っているのは、つまりバイトが一人でやる仕事が多いってことですよね。それは寿司屋の問題じゃないですか。人件費を抑えるためには、少人数のバイトにたくさん仕事をやらせたほうがいいというそれだけの話ですよ。それを太郎さんは、「日本が人手不足に陥っている原因は」って話にすり替えているわけ。関係ないじゃん。札幌の寿司屋にバイトいない問題と日本の人手不足問題はイコールじゃありませんよ。

そもそも、日本が労働力不足っていうのは本当なのか。これを機会にググってみたら、総務省統計局が２０２１年までの労働力人口の推移を表にしていて、それによると、20年前の２００１年には日本の労働力人口は６７５２万人だったんだって。でも、２０２１年の労働力人口は６８６０万人。つまり20年前より増えているんです。

あれ？　日本はどんどん人手不足になってきたから外国人の移民を増やさなきゃいけないという話だったんじゃありませんか？　しかも、どうして労働人口が増えているかっていうと、非労働力人口、つまり働かない人が減ったから。ということは働こうとしている人は増えているわけですよ。

私は経済の専門家じゃないから、それでどうして労働力不足で移民を入れなきゃいけないということになっているのか、正直言ってよくわかりません。キツくて危険を伴う、いわゆるブルーカラーの仕事の人手が足りないということでしょうか。どういう根拠に基づくのかよくわかりませんが、河野太郎さんは、日本は人手不足だからカナダのように移民を入れるべきだと言います。

希望を持てる国にするには移民を入れればいい。河野太郎はそれを推進する有能な政治家です。私にまかせていただければ政治はよくなります。私はあなたに寄り添います、BTSみたいな若い人を応援します。河野太郎におまかせください！　――みたいな、最後はもう何が言いたいのかさっぱりわからない記事になっています。

日本は希望の持てないダメな国だ！　――と、いつもの朝日の反日イデオロギーから始まって、河野太郎の選挙演説で終わるという前代未聞・奇々怪々な記事。朝日はすでに終わっていると思うしかありません。

最後に付け加えるなら、日本の1億2000万人など相手にせず、BTSを見ならって世界の80億人を見据えるべきだなどと河野さんは言っていますが、たとえば世界的にヒットした藤井風さんの「死ぬのがいいわ」は、世界などまったく意識していません。BTSの場合には世界戦略というものがあって、こういう歌を作ればアメリカでも売れるだろうみたいなビジネス前提の考えがあるわけじゃないですか。でも藤井さんは、日本とか世界とかは関係なく、超独自な世界を追求しています。歌詞は日本語だし、「死ぬのがいいわ」という曲は昭和歌謡の匂いすらする。「世界」におもねるところがありません。そういう藤井さんの歌に世界中の人が注目する。これですよ、これ。

「最初から80億人を見ていないとやはり差がつきます」という河野さんの考え方、世界を目指せ！　という掛け声こそ、むしろ西洋コンプレックスに囚われていた古くさーい時代の残滓のような気がします。

藤井風を知らないという方、お聴きになると新鮮な驚きがあると思います。新しい世界の扉を開くみたいな感じが味わえて、楽しくなるはず。お勧めです。

（2023年1月4日）

## 加藤登紀子さんの「戦わない国」論と一般ピープルとの乖離

### 「戦わない」というポリシー最強説の弊害

今回、取り上げさせていただくのは加藤登紀子さんという歌手の方ですが、実は私、この方をあまりよく知らなくてですね、いやいやいや、名前は存じ上げていますよ、どうにかね。そうしたらYouTubeの視聴者の皆さんがいろいろと教えてくださって、東大在学中にデビューされたとか、「百万本のバラ」や「知床旅情」を歌った方だとか、拘留中の学生活動家の方と獄中結婚なさった方だとかね。

そんなことも初めて知ったのですから、別に彼女の行動を批判しようとか、そういうつもりはございません。ただ、加藤さんがツイートしたご意見、彼女の考え方について少々申し上げたいことがあるということでございます。

彼女がしたのはこういうツイートです。

「防衛力の増強などで日本は守れません。戦わない国としてのポリシーを持ち続けることこそが日本の防衛です」

これです。ポリシー最強説ですよ。皆さんそれぞれご感想があるかと思いますが、私はまずこういうことを考えました。「戦わないと決めればいい。戦わないというポリシーさえ持ち続けていれば日本は守れる」という彼女の日本防衛論は果たして本当に現実的なのか。どのぐらい現実味があるのか。

私、一応研究者ですから、頭ごなしにいいとか悪いとか決めつけるのではなくて、まず考えてみることにしています。そして結論は、「現実味はない」。——なぜか。

世界には200くらいの国があります。その中のある国が日本に軍事侵攻する意思を持ったとします。その時、日本が「自分たちは戦いません」と宣言して、「武装もしないし反撃もしない、何をされようといっさい戦わないと決めています。よろしく」と世界に向けてそうアピールし続ければ日本は守られるのかということです。

世界には他国に軍事侵攻する国がある。これは厳然たる事実です。歴史というのは人間が文字を発明して以降のことをいうわけですが、それよりはるか以前から人間は戦争をしてきました。人間の存在自体、戦いと共にあるわけです。他人の財産や土地を奪おうとする人、グループ、組織、国といったものはいつの世にも存在する。そういう主体はあるという現実に立ってものを考えなければいけない。

じゃあ、そういう国はなんで他国に軍事侵攻をするのか、なんで他人のものを取ろうとするのかというと、そうしたいからなんですよ。単純なことです。ただ欲しいから奪いに行く。これが本質なわけです。

そういう欲望を露わにしている相手に対して、私たちは戦う意思がありません、武器も持っていませんとアピールをしたらどうなるか。「じゃあ今から攻めに行こう」ということになります。加藤登紀子さんの主張というのは日本を守るどころか相手の軍事侵攻を呼び寄せる説だということです。

そもそも他国に軍事侵攻するような国は、相手が戦わない国としてのポリシーを持っていようと、どんな憲法を持っていようがいまいが、そんなもの知ったこっちゃありません。

私はもともと歴史を勉強していたんですが、他国の事情に配慮して戦いをやめたなんて話は聞いたことがない。そんな紳士的な国はそもそも他国に攻め入ったりしないわけですよ。だから、加藤登紀子さんの主張というのは非現実的であると私は考えます。

いや、いいんですよ。非現実的であろうと、それが加藤さんの理想なのでしょうから、いくらでもお好きなことをツイートなさればいいんです。私もいつも好き勝手なことを言っていますから。でもね、こういう彼女の主張には弊害があるんです。

そもそも戦争なんか誰もしたくないですよ。めったにいないでしょ、一般ピープルの中に戦争したいなんて言っているヤツは。

だけど、ロシアが突然ウクライナに侵攻して、戦争の悲惨さが日本のニュースでも日々報じられるような状況になると、戦争って本当に起こるんだみたいな不安に駆られるわけです。まさか21世紀に戦争が始まるとは、みたいなことを、いわゆる知識人とか有識者とか呼ばれる人たちが口々に言っているのを見て、私、ちょっと呆れました。皆さん、国際ニュースを見たことがないのでしょうか。

中東を研究している私などからすると、戦争は遥か以前から続いていて、日常茶飯事みたいなものですが、自分と同じく世界の誰もがのんびり暮らしているとなんとなく考えていた人は、戦争のニュースが日常的に報じられるようになると、「もしかしたら日本も……」と不安になる。そうすると、加藤登紀子さんのような妄想にすがりつきたくなる人が増えるわけです。私は日本が確実に守られる方法を知っている。自分はその意見に与することで平和の維持に貢献している。自分は正しいことをしているんだ。そう思いたがる人たちにとっては、私から言わせれば非現実的な、加藤登紀子さんのような主張は渡りに船というか、まさにこれだと思わせるものがあるようです。ごもっとも。まさにそのとおり。よくぞ言ってくれた！　――みたいにね。

そういう方向に人々を誘導する影響力が、加藤登紀子さんにはある。その点において、加藤さんのツイートは弊害があるということです。加藤さんの発言を鵜呑みにして、何があっても戦わないと世界に向けてアピールさえすれば日本は守られると勘違いするようになったら、加藤さんの思惑とは裏腹に、日本はどんどん弱体化して、虎視眈々と日本を狙っている国にとっては実に好都合な状況になっていくわけです。

## 悪の国・日本さえ悪さをしなければ世界は平和

もう一つ言わせていただければ、加藤さんの言うような平和主義、つまり非戦論を唱える人は、何があろうと自分は正しいというポジションを取り続けることができる。いわば少々ずるい立場にあります。なぜか。いまは幸運なことにまだ日本は戦争に巻き込まれていません。尖閣諸島や竹島や北方領土のようにまぁまぁ一部戦争状態のようなところはありますよ。ただし少なくともウクライナのようにはなっていない。そういう状況においてはいくらでも、日本は戦うな、防衛力を強化してはいけないと言うことができます。そして、もし他国が日本に軍事攻撃してきて、無防備な日本人が大量に殺されるような事態が起こったら、「ほらごらんなさい。戦わない国としてのポリシーを持ち続けなかったから、防衛力を増強したから、こんなことになるのよ」と言えばいい。

戦おうなんてするから、私の言うことを聞かないから――そんな言い訳がいくらでも成り立つ。自分は常に正しいというポジションを保ち続けることができるわけです。

では、加藤さんが言うような非現実的な主張が受け入れられるのはなぜか。その背景にあるのは、日本という国が、「きっかけさえあればすぐに戦争を始めたがる、どうしようもない悪い国だ」という認識です。「日本さえ悪さをしなければ世界の平和は保たれる」と信じている人というのが日本には大勢いるわけですよ。

そういう人たちはどこにいるのかというと、いわゆるアカデミア。大学や公的研究機関です。それとメディア。つまり、知識人と言われる人たちとマスコミ人種がそうです。一般庶民は世界の平和とか、そんなご大層なことは普段は考えていません。今日のご飯は何を食べようとか、雨が降りそうだけど洗濯物が干せるだろうかとか、考えることといったら、まぁまぁそんなものですよ。今日の平和が明日も続けばいいな、というのが一般的な日本人の願いです。

ところが知識人やマスコミ人種は、そんな一般庶民の感覚を持ち合わせていません。日本人はちょっと目を離すと他国を侵略し始める。われわれ知識人は、日本がそういった誤った方向に進まないように、日本を戦争しない弱い国に留めておく義務がある。そうして私は世界平和に貢献しているんだ——そんな自己満足に浸っているわけです。そういう立場からすると、加藤さんの主張っていうのは実に正しいことになるわけ。

戦争なんかしたくないという庶民感覚を持たない彼らが、日本の大学とメディアを支配し、大きな影響力と発言権を持っている。そこに非戦論や非現実的な平和論が跋扈する余地があり、一部に喝采を持って受け容れられることになるんです。

ところが、ロシアがウクライナに侵攻してからというもの、新聞やテレビのアンケート調査で日本は防衛力を強化するべきだという回答が過半数を占めるようになってきました。

それが庶民感覚というものですよ。防衛や外交、国際政治の専門家ではなく、普段はそんなものにあまり関心を示さない一般庶民のほうが現実的な判断をしているわけ。「戦力を全て放棄して戦わない国になることこそ、日本の防衛力である」と印象操作を図る知識人、著名人たちは、自分たちの思惑が外れそうなので、あわてているのではないでしょうか。

そういう人たちは研究機関とマスコミに巣くっていると言いましたが、皆さんもうすうすお気づきのように、加藤登紀子さんが所属する芸能界、音楽や映画・演劇といった世界にも非現実的な平和論者は数多く存在します。しかし、その業界を含めても、そういう人たちの日本の人口に占める割合はむしろ少ないと思います。非常にざっくりした言い方ですが、選挙時の日本共産党の得票数を見れば、だいたいのところはわかるんじゃないでしょうか。ところが、マスコミが大騒ぎして、影響力のある人気歌手や芸能人が発言すると、その少数派の小さな声がアンプとスピーカーを通して大音量で聞こえてくるんです。

だけど、常識的・現実的にものを考えるわれわれ一般人のほうが、実は多数派なんです。相手が東大の教授だろうがフォーク歌手だろうがスターだろうが、権威と知名度を笠に着て少数派の誤った正義を押し付けようとしても、そう簡単に思い通りにはいきません。

マスコミとか研究業界とは無関係なところで、異なる意見を言う人がいたほうがやっぱりいい。それが民主主義だし、言論の自由だと思うわけですよ。ですから、場末の中東研究者の身ではありますが、私もできる限り、あっち系とは違う考え方、選択肢というものを皆さんにご提示できる存在でありたいというふうに考えております。

（２０２２年12月５日）

**飯山 陽**（いいやま　あかり）
麗澤大学客員教授。1976年、東京都生まれ。イスラム思想研究者。アラビア語通訳。上智大学文学部史学科卒。東京大学大学院人文社会系研究科アジア文化研究専攻イスラム学専門分野単位取得退学。博士（東京大学）。現在はメディア向けに中東情勢やイスラムに関係する世界情勢のモニタリング、リサーチなどを請け負いつつ、調査・研究を続けている。著書に『イスラム教の論理』（新潮新書）、『イスラム教再考』（扶桑社新書）などがある。

# 愚か者！　～あっち系の懲りない面々～

2023年6月24日　初版発行
2023年7月6日　2刷発行

著　者　飯山 陽

発行者　鈴木 隆一

発行所　ワック株式会社
東京都千代田区五番町4-5　五番町コスモビル　〒102-0076
電話　03-5226-7622
http://web-wac.co.jp/

印刷製本　大日本印刷株式会社



ISBN978-4-89831-882-9